Bağlar Üzerine

KAE TEMPEST, İngiliz şair, yazar, müzisyen. 1985 yılında Londra'da doğdu. Spoken-word şiir performansını müzikle harmanlayan güçlü ve düşündürücü çalışmalarıyla tanınıyor. Tempest, çalışmalarında genellikle sosyal ve politik konular, kimlik ve insan deneyimi temalarını işliyor.

Everybody Down ve *Let Them Eat Chaos* albümleriyle Mercury Müzik Ödülleri'ne aday gösterilen Tempest, *Brand New Ancients* ile Ted Hughes Ödülü'nü kazandı.

Tempest'ın şiir, müzik ve sahne performansını birleştiren benzersiz sanatsal tarzı onu güncel şiir ve müzikte önemli bir figür haline getirdi. Tempest, hâlâ Londra'da yaşamaktadır.

ŞİİR KİTAPLARI

Everything Speaks in its Own Way (2012)
Brand New Ancients (2013)
Hold Your Own (2014)
Let Them Eat Chaos (2016)
Pictures on a Screen (2016)
Running Upon The Wires (2018)
Divisible By Itself and One (2023)

OYUN

Wasted (2013)
Glasshouse (2014)
Hopelessly Devoted (2014)
Paradise (2021)

ROMAN

The Bricks That Built the Houses (2016)

Kae Tempest

Bağlar Üzerine

İngilizce aslından çeviren:
Mina Çakmak

ONAGÖRE

Onagöre Çeviri

Bağlar Üzerine, Kae Tempest
İngilizce aslından çeviren: Mina Çakmak

İngilizce Basımı:
On Connection
Faber & Faber, 2020

1. basım: Kasım 2023, İstanbul
Bu kitabın 1. baskısı 1000 adet yapılmıştır.

Editör: Deniz Başar
Dizgi: İrem Yıldırım

Kapak Tasarımı: İrem Yıldırım

BASKI
SENA OFSET AMBALAJ MATBAACILIK SAN. VE TİC. LTD. ŞTİ
YAKUPLU MAH. 194. SOK. BLOK NO:1 İÇ KAPI NO: 465
BEYLİKDÜZÜ/İSTANBUL
(0212) 613 38 46
Sertifika No: 45030

ISBN: 978-605-71541-5-6

Onagöre Görsel İletişim Tasarımı Mim. Fot. Film.
Prod. ve Yay. Ltd. Şti.
Meşrutiyet Mah. Şair Nigar Sk. No:37 D14
34363 Nişantaşı
E-posta: hello@onagore.com
www.onagore.com
Yayınevi Sertifika No: 48350

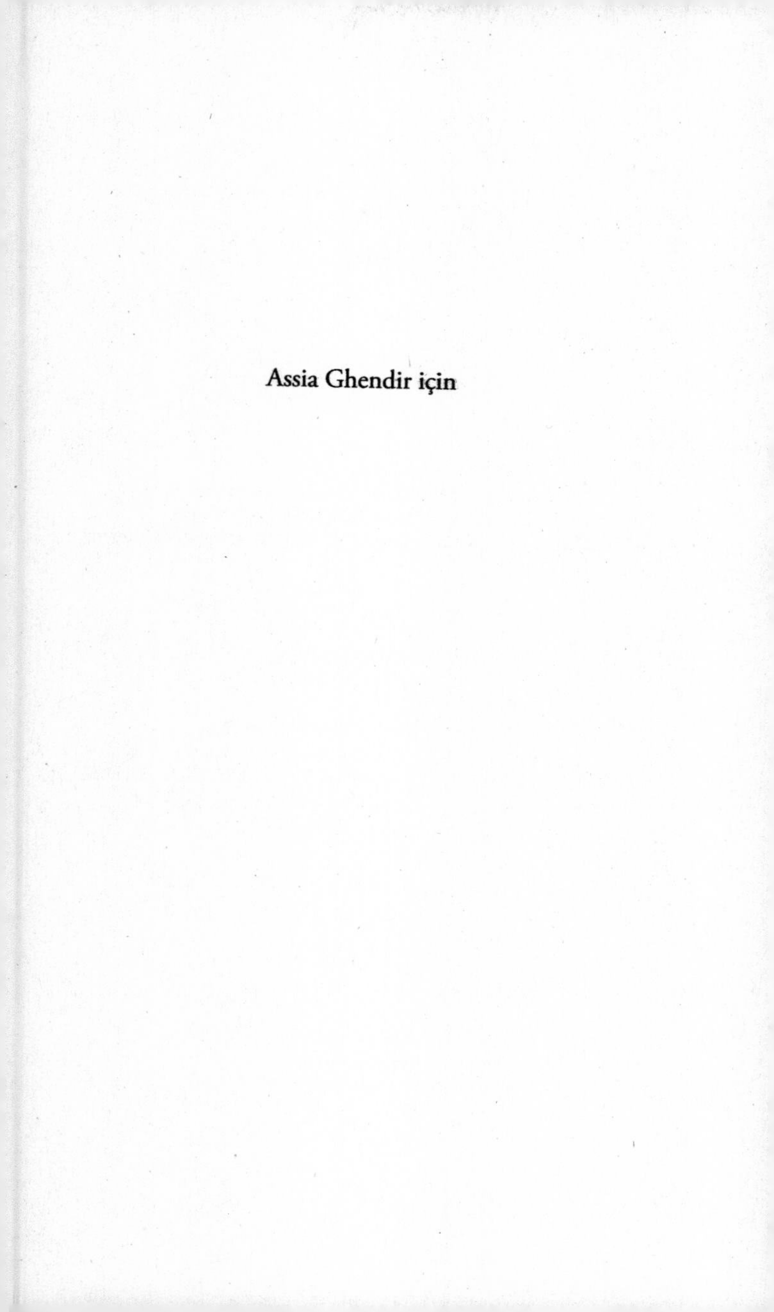

Assia Ghendir için

Tanınmayan; fark edilmemiş değil.

WILLIAM BLAKE

Çıkış Sırası

Kurulum

Suyu seveni nehre daldır.

WILLIAM BLAKE

Bu, bağlar hakkında bir kitap. Yaratıcılığa dalmanın bizi birbirimize nasıl yakınlaştırabileceği ve daha üstün bir öz-bilinç geliştirmeye nasıl yardım edebileceği hakkında. Yaratıcı bir bağ hissetme becerisine hassas ayar yapmanın empatimizi nasıl geliştirebileceği ve kendimiz ile dünya arasında daha derin bir ilişkiyi nasıl kurabileceğimiz hakkında.

Böylesine ayrıştırıcılığın yaşandığı bir dönemde, bağlanma ve evrensellik çağrısının bile sorunlu olduğunu biliyorum. Black Lives Matter* ya da All Lives Matter,* trans hakları ya da terf* hakları, aşı karşıtlığı ya da aşı destekçiliği; zaman taraf seçme zamanı. Ve bahisler yüksek. Birliktelik çağrısı, temel hak ve özgürlükler için mücadele eden insanların gerekliliğini küçümseme riski taşıyor. Aramızda açılan uçurumların sağlam sebepleri var.

---

*Yıldızlı tabirler, kitabın sonunda "Çeviri Notları" bölümünde açıklanmıştır.

"Aramızdaki farkların bir önemi yok" fikrine katılmıyorum ya da hepimizin aynı olduğu fikrine. Farklılıklarımızın toplumsal, tarihsel ve siyasi bağlamlarını ve bunların hayatlarımız üzerindeki etkilerini kabul ediyorum. Ancak, doğrudan yaşanmış deneyimlerimiz ve irsi ya da atalarımızdan kalma deneyimlerimizin –biricik kültür ve kimliklerimizin– altında bir ortaklık olduğunu da düşünüyorum, ve inanıyorum ki bu, hepimizin yaratıcılık yoluyla ulaşabileceği bir şey.

Yaratıcılık bağlanmayı teşvik ediyor. Ve kendi gerçek ve rahatsız edici benliğimizle kurduğumuz bağ, başkaları üzerindeki etkimiz için sorumluluk almamızı sağlıyor, bir günden diğerine kopuk bir vızıltı içinde körü körüne hayatımızı sürdürmek ve her karşılaşmadan alabildiğimizi almak, *benim bekâm, çocuklarımın bekâsı, benim bekâm, çocuklarımın bekâsından* başka bir düşünce olmaksızın yaşamak yerine.

/

İlerleyen bölümler boyunca yaratıcılığa, müzik ve tiyatroya, birlikte hissetmek için bir araya gelmeye methiyelere düzeceğim. Anlıyorum ki insanların bir konsere ya da bir oyuna gitmekten daha çok güvenli ve uygun fiyatlı konutlara, güvenli ve adil çalışma koşullarına, sağlık hizmetlerine, kolayca bulunabilen taze, toksik olmayan gıda ve suya, ailelerini büyütmek için şiddet, tehlike ya da travma içermeyen bir ortama erişmeye ihtiyacı var. Ama aynı zamanda anlıyorum ki bu temel ihtiyaçların yanı sıra insanlar hep oyun oynamaya, yaratmaya, düşünmeye ve rahatlamaya da ihtiyaç duydular ve duyacaklar.

Fikirlerimi değerlendirirken şu terimleri kullanacağım: yaratıcılık, bağlar ve yaratıcı bağlar.

Yaratıcılık, merak duyma becerisi ve heyecan verici bulduklarımıza tepki verme arzusudur. Ya da daha basitçe, yaratıcılık herhangi bir sevgi eylemi. Herhangi bir şey yapma eylemi. Genellikle sanat yapmada kullanılıyor ama odaklanma, beceri ve hüner gerektiren herhangi bir iş için kullanılabilir. İyi giyinmek yaratıcılık gerektirir, örneğin. Ebeveynlik etmek. Pencere pervazını boyamak. Sevdiğiniz birine tüm dikkatinizi vermek.

Bağ kurma, şimdiki zamanının içine konma hissidir. Sizi meşgul eden işe tamamen gömülme, deneyimin detaylarına pürdikkat kesilme. Büyük resmin içinde ufacık olma farkındalığı ile nitelenir. Mutlak suretle konumlanma hissi. Tam burada. "Tam burası"nın telaşlı ya da sakin, keyifli ya da ızdıraplı olmasına bakmaksızın.

Yaratıcı bağlanma, bağlantıya erişmek ve bağlantıyı hissetmek, kendinizi ve yanınızdakileri daha bütünleşik bir mekana sokmak için yaratıcılığı kullanmaktır.

Daha derin, başka bir dünyayla kurulan ve en kolay sanatçılarca deneyimlenen bağ da olabilir. Ama aslında, daha önce meditasyon yapan, dua eden, yıldızları araştıran, sevdikleri için önemli bir yemek hazırlayan, yumruk atan, yumruk yiyen, elleriyle bir şey inşa eden, başka seçeneği olmadığı için bir beceri öğrenen, kendini başkalarına adamış, gönüllülük etmiş, kendisini akıl sağlığının sınırında ya da deneyimlerinin sınırında bulmuş, zor bir gerçeği kabullenmiş, kendini ikinci plana almış, birisine yardım edebilmek için samimice tüm şartları zorlamış herkes hissetmiştir. Bağlanma sadece sanatçıların ihtisas alanı değil ama sanat, ortaklığın başladığı o öteki yerin meyvesini anlamanın iyi bir yolu.

"Okuyucu"dan bahsettiğimde, metin, müzik ya da sanat eserleriyle meşgül olan kişiden bahsediyor olabilirim ama aynı zamanda arkadaşlarla, yabancılarla, sevgililerle ve etraflarındaki dünyayla ilgilenen kişiden de bahsediyorum. Okuyucu, anlamın içeri girebilmesi için açılması gereken kapı.

"Yazar"dan bahsettiğimde, bir metin ya da müzik yazarından bahsediyor olabilirim, ama aynı zamanda bir deneyimin yazarından da bahsediyorum. Varoluşunuzun anlatısını yaratan ve durmaksızın sizi bir günün boş sayfalarından diğerine çekecek kadar güçlü herhangi bir ipin ucunu aramaya çalışan parçanız.

/

James Joyce bir keresinde bana dedi ki: "Tikelin içinde, evrensel bulunur." Bu tavsiyeyi takdir ettim. Bu bana, kendi "tikel"ime ne kadar dikkat edersem, sizinkine ulaşma şansımın o kadar yüksek olduğunu öğretti.

Yirmi yıldır mikrofon başına geçiyorum,

konuşmak ve duyulmak için her fırsata can havliyle abanıyorum. Yol boyunca, bir sürü salona girdim ve kendi kendime düşündüm, *Dostum, bu gece nasıl geçecek bilemiyorum.* Yargılandığımı hissettim. Bu fırsat için yanlış kişi olduğumu hissettim. Ben de kalabalığa bakıp onları yargıladım. "Benim insanlarım" olmadığını bildiğim kişilerle karşılaştım ve düşündüm, *Seninle benim bu yolu beraber yürümemizin imkanı yok.* Ve defalarca haksız çıkarıldım.

Yirmi yılımı elimde kalemle geçirdim. Yirmi yıl, mekanlarda insanlara söylenen kelimelerin sanatı üzerine çalıştım. Gördüğüm her şeyi, kendi yaratıcılığımın objektifinden gördüm, bu, hayatımın ana işleviydi.

Burada, yazmayı, okumayı ve performansı tartışacağım çünkü doğru olduğunu bildiğim şey bu. Bunlara özellikle atıfta bulunacağım ama bunu yaparken kim olduğumuza, nasıl yaşadığımıza ve kendimizi nasıl başkalarına açabileceğimize dair daha büyük temalara da atıfta bulunacağım.

Empati, herkesin bir hikayesi olduğunu hatırlamaktır. Bir sürü hikayesi. Ve hemen kendi hikayenizi anlatmadan önce başkasının hikayesini dinlemek için alan açmaktır. Ben insanları çok seviyorum. Ne zaman uçurumun kıyısına yaklaşsam, her gün karşılaştığım insanlara özenli bir şekilde dikkatimi vererek odağıma geri dönüyorum.

Evet, ben benim gibiler için yazıyorum. Hiçbir yere uymayanlar, hiç uymamış olanlar. Benim gibi dykelar* için. Uyum sağlamaya değecek bir şey olmadığını fark edenler, ve sonunda kendi yollarını bulmak zorunda kalanlar için.

Dünyayı dert eden diğerleri için.

Önce güzelliği görenler ve katliama tanık olmaya zorlanan diğerleri için.

Önce katliamı görenler ve güzelliğe tanık olmaya zorlanan diğerleri için.

Ama aynı zamanda her zaman her yere uyanlar için.

Hiçbir şey sikinde olmayanlar için.

Güzelliği hiçbir yerde görmemiş olanlar için. Ve hatta, daha da az rastlanan, katliamı görmemişler için.

Sadece ana hatlar ve geçen zaman.

Düşüncelerimi paylaşanlar ve onları saçma bulanlar için.

Herkes için. Her zaman. Ne olursa olsun.

Ses Kontrol

Tilki kendisini değil tuzağı suçlar.

WILLIAM BLAKE

Aynadaki yansımayla ilgili sorun şu ki, aynaya bakmadan önce kendimize çeki düzen veriyoruz. Yani, ne görmeyi umuyorsak onu görüyoruz. Park etmiş bir aracın karanlık camına ya da bir dükkan vitrinine attığımız kaçak bakıştan önce zaten görmek istediğimiz yüzü ve duruşu hazırlamış oluyoruz. Göreceklerimizin şokuna adapte oluyoruz. Kendimizi gerçekten görmek farklı bir yaklaşım gerektiriyor.

Kendimizi tamamen ana konumlandırmak zor. Neyi temsil ediyoruz? İnançlarımızı, tüketici olarak hayatlarımızın gerçekleriyle nasıl örtüştürüyoruz? Kuşkusuz, iyi bir adam olduğunu düşünüyorsundur. Ama bundan nasıl emin olabilirsin? En son ne zaman inançlarına ters düşen bir davranışını fark ettin? Kendi prensiplerini ihlal etmen her gün olan bir şey, değil mi? Dürüstlük ve doğruluktan yana olabilirsin ama gene de partnerine yalan söyledin ve mesajları sildin. Yine arabada sinirine hâkim olamadın ve oğluna bağırdın.

Davranışlarımızı daha iyi anlayacaksak kendimizi sadece olmak istediğimiz kişi olarak değil gerçekten nasıl yaşadığımıza göre tanımamız gerek. Farklı insanlarla birlikteyken kimin rolünü oynuyorsun? Tanıdığın birinin ırkçı ya da homofobik bir sözünü göz ardı eder miydin, sırf araya girip onu uyarmak kişisel sosyal kodlarınıza aykırı olduğu için? Eğer öyleyse tutarlılıktan yoksun olduğunu kabul etmeye hazır mısın? İnsanları memnun etme ya da yüzleşmekten kaçınma arzunu ahlakından daha üstün tutmanın toplumsal konformizm demek olduğunu kabul etmeye?

Olmayı umduğumuz kişi ve gerçekte olduğumuz kişi arasındaki ikiz varoluş çoktandır devam eden edebî bir saplantı. Ruhumuz için kavga eden güçler üzerine bitmek bilmeyen hikayeler anlatıyoruz. Faust ve şeytanları, Kendrick Lamar'ın *good kid, m.A.A.d city* şarkısında yolunu bulmaya çalışan K. Dot'u, ya da Pallas Athena'nın kutsadığı ve Poseidon'un lanetlediği Odysseus. Bu işler, güdü ve ahlakın yakın bir incelemesini teşvik ediyor. Ama sorumluluğu tanrılara ya da koşullara yıkmak dizginleri elimize alıp şunu demekten çok daha kolay: *Belki de ben sandığım kişi değilim. Belki de, aslında ben hiç kendimin kim olduğunu düşünmedim.*

Kendimizden çok uzaklaştık. Bizden beklenen şarlatanlıklar gerçek oldu ve bizi rolün içine gömdü. Hayatın değişkenleriyle başka nasıl başa çıkabilirdik? Kendimizi kanıtlamak için önümüze yığdığımız fişler sayesinde değilse, neyle? Bu komediye inanarak değilse, neyle?

Birbirimizden çok uzaklaştık.

/

Hissizlik veya kopukluk, gerçek bir hissin yokluğudur. Tamamen başka bir yerdeyken önümüzde olup bitenlerle yüzeysel bir meşguliyet. Günün dertlerinin içinde o kadar boğuluruz ki günün esas olayları fark edilmeden geçip gider ya da o kadar dayanılmazca kesinlerdir ki hayati bir tehditin hiper-gerçek yakın bir çekiminde deneyimlenirler.

Her eylemin arkasına yüklenen o ağırlığı hissediyor musun? Sakin kalma ve kendini bırakmama arzusunun çürüklüğünü? Kendine mantık dışı hesaplar soran tiplerden misin? Dinlemeden duyan biri? Tadına varmadan yiyen biri? Anlaşmazlıklarla yüzleşmek yerine onları bastıran biri? Her şeyin altında bir bit yeniği olduğunu düşünen biri? Hiçbir şeye tutanamadan savrulup gidiyor musun? Kendi tercihlerini ya da duygularını değil öncelik haline getirmeyi, onların farkına bile varamıyor musun? İç kaynaklarını zorlayacak herhangi bir şeye ilgin yok mu?

Hangi iç kaynaklar?

Sahne arkasında kimsin? Kamusal hayatta değilken? Partnerin, ebeveynin, çocukların, arkadaşların etrafta yokken olduğun kişi kim? İşe gitmeyen ya da faturaları ödemeyen sen? Okulu bırakmamış, taş kokain içmemiş, kendini sokakta bulmamış sen? İşinde başarılı olmaktan gurur duymayan sen? Yeni bir ilişki, saç kesimi, ayakkabı ve ev düzenleme çözümüyle rahatlamamış sen? Ahlaki değerleri okuduğu gazeteyle ya da bağlı olduğu siyasetle şekillenmeyen sen? Gecenin köründe, kapının dışından bir ses geldiğinden emin, bir rüyadan uyanmışken karşılaştığın sen?

Herkesin içinde aynı olan "sen."

/

Hissizlik çağın şiddetli saldırısına karşı mantıklı bir tepki. Biraz olsun akıl sağlığı ile hayatta kalabilmek, işleyebilmek ve hatta gelişebilmek için hissizlik gerekli. Yoğun saatte trafikteyken, kalabalık bir alışveriş bölgesinde yürürken ya da yeni mutenalaşmış bir mahalleden geçerken, ya da aklınızda başka şeyler varken partnerinizi öperken kendini belli eden hissizlik. Varlığınızı sürdürmek için her ne yapıyorsanız onu yaptığınız hissiz bir günün sonunda hayatın hissiz işlerini yapmak. Sarhoşluğun, duygusuz cinsel ilişkilerin, ucuz ya da pahalı uyuşturucuların güvenilmez hissizliği. Müsamaha gösteren, dikkat dağıtan, kendini daha ve daha derin bir uyuşuklukla ödüllendiren bir uyuşukluk. Bedeni terk etmenin, zihni terk etmenin ve "Hayat devam ediyor"diyerek odadan çıkmanın uyuşukluğu. "Neyse ne." "Kendini topla." "Devam etmeliyim." "İşi halletmeliyim." İşleri halletmek, her zaman işleri halletmek, hafif veya şiddetli kalıcı bir kendinden ayrışma halinde. Tıka basa izle. Tıka basa iç. Tıka basa ye. Kayıtsızlık.

Bu hissizliği iyi biliyorum çünkü bu benim hayatım.

Hissizliğin peşine düştüm. Yıllar boyunca kendimi tamamen uyuşma arayışına adadım. His kaybı. Deneyimlerime ulaşmak yerine kaçınmak. Gerçeklikten kopmak için beni tamamen tüketecek bir şeye ihtiyacım vardı. Beni beynimin ve dünyanın baskılarından uzaklaştırması için uyuşturucu ve alkol kullanmayı seçtim. Bu hem olumlu hem de olumsuz oldu. Hissizlik güzel olabilir. Gerekli olabilir. Dengeye ihtiyacımız var. Bir hayat kopukluğa ya da bağlantıya doğru çok fazla kaydığında, yeni bir vücutta peyda olmaya çalışmak ya da sökülmüşü tekrar köklendirmeye uğraşmak insanı bitap düşüren bir süreç.

Kendimi hissizliğin panzehrini ararken buluyorum. Ama ona karşı aşılanmaya gerek yok ya da onu deneyim paletimizden çıkarmaya. Hissizlik deneyimin parçası.

Burada, her zamanki gibi, ayrıcalığım konuşuyor. Bu sistemin neler yaptığı ve yapmaya devam ettiği gerçeğini görmezden gelebilecek bir konumda olmak, tamamen suç ortağı olmaktır. Bundan büyük fayda sağlamaktır. Bu oyunda kazananların devasa maden zenginliğini nasıl elde ettiklerini düşünmemek, bu zenginlikten kâr etmektir. Yağmalanmış ulusların, iktidara getirilen diktatörlerin, şirket çıkarları tarafından finanse edilen isyanların, hapse atılan bedenlerin, harap olmuş toprakların uzun listesi. Ölüm, hastalık ve boru hatları. Kendi şehrinizdeki eşitsizliği görmezden gelebilmek, bu eşitsizlikten faydalanmaktır. Siyah bedenlerin kurumsal olarak ırkçı bir devlet tarafından kriminalize edilmesi. Gıda bankalarının artan kullanımı. Grenfell Kulesi yangınındaki dehşetten yıllar sonra hâlâ geçici konutlarda yaşayan aileler.

Düşünmüyorum, düşünmek istemiyorum. Günlük rutinlerimin içine takılıp kaldım ve mutlak genişleme haricinde hiçbir şey gerçek değil ve hareket edemiyorum ve kendimi hareket etmekten alıkoyamıyorum. Bütün mesailerimi iptal ettiler, şimdi kirayı ödeyemiyorum ve hâlâ belediye meclisinin talebime yanıt vermesini bekliyorum ve arkadaşlarımın yardımlarıyla idare ediyorum ama bu da sonsuza kadar devam edemez. Hiçbir şey hissedemiyorum. Ben iyi bir insanım. Kalbi kırık arkadaşlarımla konuşmaya zaman ayırıyorum, hepsine en dikkatli, en iyi tavsiyelerimi veriyorum. Ailem için elimden geleni yapıyorum, onları hep ziyaret ediyorum. Uygunsuz şakalar yapmıyorum, bütün çocuklar beni sever. Hayvanlarla iyi anlaşıyorum. Kocamla flörtleşmeyi unutmuyorum. Noel için karıma mücevher aldım. Hiçbir şey hissedemiyorum.

James Baldwin *Giovanni'nin Odası*'nda saplantılı aşkın batağını şöyle yakalar: "O odada hayat denizin altında yaşanıyor gibiydi, zaman üzerimizden kayıtsızca akıp geçiyordu, saatlerin ve günlerin hiçbir anlamı yoktu." Kendimizi benzer bir ulaşılmazlık, zamansızlık ve gecikme bataklığının içinde bulduk. Zehirli bir eşleşmenin içinde kaybolmak gibi. Bunu istemediğimi biliyorum. Ama nasıl çıkacağımı bilmiyorum.

Bu sistemin senin hissizliğine ihtiyacı var. Sen bir tüketim aracısın. Hükümetin gözünde başka bir amacın yok. Sen bir hiçsin. Senin suç ortaklığına ve tutkulu uysallığına güvenen bir makinenin yağısın. Pırıl pırıl parlak bir geleceğin olduğuna ve en iyi hayatını yaşamak için tek yapman gerekenin rekabet etmek olduğuna inandırıldın. Kazanmak. Tüketmek. Sen bir tüketicisin ve ebeveynlerin de tüketiciydi, büyükanne ve büyükbabaların da tüketiciydi ve çocukların da tüketici. Bu sizin mirasınız. Aydınlanmadan bu yana, Avrupa'nın kana susamışlığının o kutsal çağı, kendi önemini pazarladı ve kendi mitolojisini okullarımızda, ders kitaplarımızda ve televizyon ekranlarımızda eşsiz sanatsal ve felsefi bir mükemmellik çağı, kardeşlik ve özgürlükçülük çağı olarak yaydı, oysa gerçekte bir şiddet, iç ve küresel savaş, eşitsizlik, baskı ve vahşi gaddarlık çağıydı. Kanla işleyen. İşçi sınıfının kanıyla. İlerlemesi için sömürülen, satılan ve öldürülen siyah ve kahverengi bedenlerin kanıyla. Kana bulanmış ve utanç verici, berbat şehirlerimizin sütunları üzerine dikilmiş kendini Işık Çağı diye pazarlayan kötülük devrinin gururlu taştan tapınakları. Hâlâ o dönemde yaşıyoruz. Kaos devam ediyor. Eşitsizliğin sanayileşmesi devam ediyor. Hissizliğin gerekli. Hissizliğim gerekli.

Ama gene de.

Şiir okumak odayı eşitliyor.

Buna pek çok kez, pek çok farklı ortamda şahit oldum. Müzik, dekor ve arka plan olmadığı, konuşan bir kişi ve dinleyen bir kişiden başka bir şeye ihtiyaç duyulmadığı için, bir 'spoken-word'* performansı her yerde gerçekleşebilir ve şairler olarak, bize çağrı yapıldığında, ne kadar rastgele görünürse görünsün, gideriz. Londra'nın merkezindeki sanat galerilerinde, kendin-yap alanlarındaki queer partilerde, evsizler barınağındaki bir grup gence, hususi bir dağ evinde küresel bir bankanın CEO'suna, Pasifik Sahil Otoyolu'ndaki bir karides büfesinde kanun kaçağı bir motosiklet çetesine şiirler söyledim. Hepsinde aynı titreyen eller, aynı acil bağ kurma arzusu ve aynı his, köklü bir şeylerin değişmek üzere olduğuna dair bir his vardı. İşgal konserlerinde punk grupları, ücretsiz partilerde jungle DJ'lerinin öncesi, tuhaf takdimlerin ardından okul sınıfları ve öğrenci yönlendirme birimleri, bir İtalyan köyündeki opera binası, sokak köşelerinde doğaçlama konserler ve sanat kurumları için bağış toplama geceleri arasında gidip geldim. Bir keresinde ana akım bir komedi çadırında bir şiir seti için davet aldım, tüm kalabalık ünlü bir komedyeni bekliyordu ve ben İkarus hakkında konuşmak için ayak sürüyerek sahneye çıktım. Kütüphanelerde, apokaliptik bilimkurgu festival alanlarındaki sirk gösterilerinin arasında, kokteyl kulüplerinde ufak kabare şovlarında, rap düellolarında, insanların oturma odalarında, futbol seyredilen bir barda, başka birinin konseri sırasına dışarda yani sokakta, Albert Hall'un otoparkında şiirler söyledim. Bir keresinde kalabalık bir bar tezgahının üzerinde durup şiirlerimi haykırmak için davet almıştım ve o zamanlar bu bana iyi gelmişti. Bir koşudan dönen bir grup koşucu için bir spor mağazasında şiirler söyledim; hâlâ bir önceki geceden kalma kıyafetler içindeydim, içtiğim içkiden yüzümdeki kan damarları patlamıştı, onlar likralı kıyafetlerinde serinlerken belli belirsiz motivasyon temalı şiirler söyledim. Mekânların giriş salonlarında bir sürü şiir söyledim. Sanki hep giriş salonlarında gibiydik, oditoryumdaki ana konserden çıkıp tuvaletleri bulmaya ya da roze kuyruğuna katılmaya giden kalabalığa elimizden gelen her şeyi veriyorduk.

Çıplak dilin insanlaştırıcı bir etkisi var, birinin hikayesini anlatmasını dinlemek, insanların açıldığını fark etmek, yaralanabilir hale gelmeleri, gardlarını düşürmeleri, odanın ayazını ve cephelerini dağıtır. Bir keresinde şiirlerimi HMP* Holloway mahkumları için okudum ve kelimelerim daha önce hiç olmadığı gibi yankılandı. Birdenbire her dize tam o anla ilgiliydi ve bu benim için güçlü bir deneyim oldu. O sıralarda, Bond caddesinde Louis Vuitton Maison açılışında da şiirlerimi okumuştum ve gene aynı şey olmuştu. Kelimelerim daha önce hiç olmadığı gibi keskinleşti ve yankılandı. Oradaydım, eşofman altımla, süper modellerin ayak bastığı yerlerde yürürken kendimi korumasız ve yargılanmış hissediyordum, ama şiirlerimi okumaya başladığımda enerji dönüştü, benimki de dahil, herkes açıldı. Ne zaman şiirlerimle yabancı salonlara girsem kiminle ve neden konuştuğuma dair kendi güvensizliklerim ve yargılarımla yüzleşmem gerekiyor ve her seferinde bizi birbirimize bağlayanın, ayırandan daha güçlü olduğuna dair bir şeyler öğreniyorum.

Kapılar

Zıtlık olmazsa gelişme de olmaz.

WILLIAM BLAKE

Psikoterapi, psikiyatri ve psikolojinin oluşumunda önemli bir figür olan Carl Jung, 1913 yılında "bilinçdışıyla yüzleşmeye" doğru on sekiz yıllık bir yolculuğa başladı. İçsel imgelerin peşinden gitmesini sağlayan "aktif imgeleme"adlı bir teknik geliştirdi. Kendini gecenin geç saatlerde çalışma odasına kapatıp, bazen onu büyük sıkıntılara sokan ve akıl sağlığının kıyısına yaklaştıran, yorucu yazı ve resim seanslarına koyuldu. Bu deneylerde keşfettikleri, daha sonra yayınladığı tüm eserlerinin özünü oluşturdu. O yılları "tüm anlattıklarını içeren ilahi başlangıç" olarak yazdı. Geceleri yaptığı deneylerin kayıtlarını tuttu ve sonunda bunları *Kırmızı Kitap* olarak bilinen kitapta topladı. Bu kitap ölümünden otuz dokuz yıl sonraya, 2000 yılına kadar basılmadan kaldı.

2016'nın başlarında, ilk solo albümüm *Every-*

body Down'ın [Herkes Yere Yatsın] on sekiz ay sürecek turnesinden yeni çıkmıştım. (İki yüz kişi kapasitelik) Corsica Stüdyoları'ndan (iki bin kişilik) Electric Brixton'a uzanan hardcore ve gösterişsiz bir turneydi bu. Bir zamanlar "ihtiyaç arabası" olarak kullanılan ve yollarda çalışan insanlar için otoban kenarlarında park halinde hizmet veren ikinci el bir Esenlik Ünitesi minibüsü ile ülkeyi ve kıtayı baştan başa dolaştık. Enstrümanları sığdırmak için arkadaki tuvaleti söktük. Sekiz koltuğu, çok sayıda sıvı sabun dispenseri ve sanayi tipi bir çay ocağı vardı. Isıtmayı nasıl çalıştıracağımızı çözebildiğimizde, Kuzey Avrupa'da kış turnesine çıkalı üç hafta olmuştu. Tüm bunların orta yerinde, ilk romanım *The Bricks that Built the Houses* 'ı [Evleri İnşa Eden Tuğlalar] yayınladım ve böylece kafe ve kitapçılarda kitap tanıtımı yapmak üzere kendimi ABD'ye doğru yola çıkmış buldum. ABD kitap turnesine çıkalı birkaç gece geçmişken Portland, Oregon'daydım, bitkin ve yönümü kaybetmiş hissediyordum, mekanın yakınındaki bir parkta şarkı sözleri yazarak vakit geçiriyordum.

Amerika'daki, özellikle de ılıman Batı Yakası'ndaki sokaklardaki evsizliğin büyüklüğü beni sarsmıştı. Los Angeles'ta tanıştığım bir adamın yatağı, şiltesi ve bir koltuğu, hatta fişi kopmuş bir başucu lambası vardı. Konuştuğum insanlar bana sokak evsizliğinin yaygın düşüncede akıl hastalığı ile yakından bağlantılı olduğunu anlattı ve gerçekten de öyleydi: Harvard'da yapılan bir araştırmaya göre sokakta yaşayan evsizler arasında ciddi akıl hastalığı oranı yüzde otuz. İnsanların her gün yürüdüğü sokakta bir ev kurmanın çok görünür doğasına rağmen, bu durum pratikte bir görünmezlik perdesi yaratmış. Konuştuğum insanlar – yayıncılık dünyasından meslektaşlarım, diğer sanatçılar ve de günümü geçirirken karşılaştığım insanlar – hepsi evsizlerin ciddi akıl hastası olduğu ve tehlikeli olabileceği için onlarla tüm etkileşimlerden kaçınılması gerektiği genel inancıyla hareket ediyordu. Evsiz nüfusunun yoğun olduğu şehirlerin 'yukarı' bölgelerindeki sosyetik otellerde kalıyordum. Toplumun 'iş gören' ve 'iş görmeyen' üyeleri arasındaki ayrım o kadar keskindi ki. Ve insanlığın bu iki kesiminin hiç etkileşime girmeden var olma biçimi, dışarıdan gözlemleyen bana çok titizce kurgulanmış bir koreografi gibi görünüyordu.

Bu gezegende nasıl yaşamaya karar verdiğimiz meşum ve tuhaf.

Birkaç gün içinde Avustralya'ya uçmak üzere Amerika'dan ayrılacağımı ve Sidney Yazarlar Festivali'nin açılış konuşmasını yapacağımı biliyordum. Ne söyleyeceğimden emin değildim ve fikirlerimi kafamda evirip çeviriyordum ama bu görev beni aşıyordu.

Baktığım her şeyde sömürgecilerin kana susamışlığının etkisini görebiliyordum. Her şeyin özünde derin bir şiddet vardı ve yapılaşmış şehirler arasında çığlık atan bir zıtlık vardı: kapitalist başarılarının dizginlenemez parıltısı ve toprağın kendisinden gelen his. Neonlardan, camlardan ve güler yüzlü hizmetten daha büyük, daha derin ve daha gerçek bir his.

Çok yorgun hissediyordum. Yalnız hissediyordum. Ve dünya iki yüzlüydü, hınç doluydu. *Yazmak ne işe yarar, diye düşünüyordum. Gerçekten ne işe yarayabilir ki?*

Parkta yaşayan bir adamla sohbete giriştim. Beni defterime yazarken gördü ve yanıma geldi, selamlaştık ve konuşmaya başladık. Ne yaptığımla ilgileniyordu. Londralı bir şair olduğumu söyledim. Şiiri çok severmiş. Tahminimce altmışlı yaşların başındaydı ama daha yaşlı da olabilirdi. On yedi yaşından beri elindeki şiir kitabının aynı kopyasına sahip olduğunu söyledi. Kitabı ona annesi vermiş. Derek Walcott'un ince yeşil karton kapaklı bir kitabıydı. Hayatındaki tüm deneyimler, koşullardaki tüm değişiklikler, yaşadığı ve terk etmek zorunda kaldığı tüm yerler boyunca bu kitabı yanından ayırmamış. Cebinde bu şiir kitabını taşımanın kendisini insan gibi hissettirdiğinden, annesine ve çocukluğuna yakın hissettirdiğinden ve ona büyük bir huzur verdiğinden bahsetti. O adamla kurduğum bağ beni çok etkiledi. Çok nazik bir insandı.

/

Benden bunu yazmam istendiğinde, verilen teklif şuydu: bir dizi kısa kitapçık için kurmaca olmayan bir çalışma. Yayıncının beklentisinin Siyasî bir şey olduğunu hissettim. Ben ise bildiğim şeyi yazmaya karar verdim. Bildiğim şey yaratıcılık. On iki ya da on üç yaşımdan beri kendi yaratıcılığımla garip ve tutkulu bir ilişki içindeyim, ruh sağlığı sorunlarından muzdariptim ve sorunlu bir beyinle, evdeki sorunlarla ve cinsiyet disforisiyle* başa çıkmak için uyuşturucu ve alkol kullanıyordum. Evden kaçmış, okulu bırakmış ve uyuşturucu satıcısı olmuş bir gençtim ama bu durum tüm hayatımı mahvetmeyecek ya da benim tanımım haline gelmeyecek kadar beyaz ve orta sınıftandım. Bu ayrıcalıklar bana hata yapma alanı sağladı. Siyah ve işçi sınıfından arkadaşlarımın yaptığı aynı hatalar hapis cezası, hastaneye yatırılma ve birkaç vakada ölümle sonuçlandı.

Huzur içinde yat Alfie, benim güzel arkadaşım. Ve huzur içinde yat Omar. Seni unutmayacağım.

O zamanlar bu şekilde düşünmemiştim. Kaybolmuştum. Ya en yakın arkadaşım ve onun eroin bağımlılığıyla kilise avlularında uyuyordum ya da bana dokunmasına izin verdiğim için bira ve sigara ısmarlayan elli yaşında bir yabancıyla arabaya binmeye göz yumuyordum. Her günüm kafayı bulmak için yeterli parayı kazanmaya çalışmakla geçiyordu. Hayatımın en büyük amacı buydu. Çok acı çekiyordum. Başka hiçbir şey yapamazken bir şekilde yaratıcılık, sislerin arasından bana ulaştı. Bana rehberlik etti, bana bir amaç sundu ve beni diğer tüm yaratıcı insanlara bağladı. Dönüştürücüydü. Müziğe âşık oldum. Kesinlikle sırılsıklam âşık oldum ve keyfim yerine geldi. Yaratıcılığı eski benliğim ya da üstün benliğim olarak deneyimledim: kelimenin tam anlamıyla kafamın içine giren ve bana ne yapmam gerektiğini söyleyen bir ses. İşlerine gömüldüğüm yazarlar ve müzisyenlerle kendimi bir topluluk içinde buldum. Bir çağrı aldım ve bunu saplantılı bir takıntıyla takip ettim. Bu bana yeni bir yön, yeni arkadaşlıklar verdi ve en çok ihtiyaç duyduğum anda beni gittiğim yoldan döndürdü. Büyüdükçe, yaratıcılığım da benimle birlikte büyüyen sabit bir şey oldu. Her zaman burada. Her zaman olmak istediğim kişi olabilmem için daha çok çalışmamı talep etti. Fikirlerimin peşinden yeni yollarla gitmem için bana enerji vererek. Beni hayatta tutarak.

Yolculuğum boyunca bunu anlayamayan pek çok insanla karşı karşıya geldim. Geçmişte onları tamamen devresi kopuk, "kapalı" insanlar olarak görüyordum. Eskiden bu insanlara sinirlenir, "bilinç" eksikliğine kızardım. Onlara bir "ulaşabilsem, fikirlerini değiştirebileceğimden" emindim. Ama şimdi, neyse ki, her şeyi farklı görüyorum. Her bir insanın varoluşun şiddetinden farklı şekillerde etkilendiğini ve insanların yüklerini ellerinden geldiğince taşıdıklarını görüyorum. İnsanlar çok acı çekiyor ve ideal olarak bir tür huzura ulaşmak için travmaları ile baş etmeleri gerekiyor. Peki ya içinde bulunduğunuz durum çok yoğunsa ve bir an bile nefes alamıyorsanız? Herkes olaylara farklı tepkiler verir. Herkesin tepki vereceği farklı şeyler vardır. Birinin bir neticeye nasıl vardığını yargılayacak kişi ben değilim. Birinin hangi neticeye vardığını yargılayacak kişi de ben değilim. Artık kimsenin fikrini değiştirmek istemiyorum. Sadece bağ kurmak istiyorum.

Neden bu adam parkta yatarken bana şiirlerimle dünyayı dolaşma fırsatı verilmişti? Her başarıyı çalışkanlığım, yeteneğim ve kararlılığımla kazandığıma inanmak benim için güzel olurdu ama gerçek şu ki, oyun hileli. Beyaz ve genç görünüşlü olmasaydım ve bu yüzden "tehditkâr olmayan" biri olarak kodlanmasaydım, yıllar boyunca söylediğim şeylerin yarısını gerçekten söyleyebilir miydim? Değil ki bunun için övgüler almayı? (Başlarda röportajlarımda gazeteciler her zaman "melek gibi" görünüşümden, "altın" saçlarımdan, bebek yüzümden ve Yunan mitolojisine olan düşkünlüğümden bahsederlerdi, bunlara sürekli yapılan atıflar "kabul edilebilirliğimi" pekiştirmeye hizmet etmiş olmalı).

Her şey farklı olsaydı, hayat adil olsaydı ve herkese aynı fırsatları sunsaydı, o dünya turnesinde şair, ben de parkta yatan olmaz mıydım?

Her fikir alışverişinin ve karşılaşmanın, kaçırılan her fırsatın ya da yakalanan her talihin, bir insanın hayatındaki her olayın ya da olmayanın ardında, onları çekiştiren veya iten hava sistemleri vardır.

O akşamki programım Powell's City of Books adlı bir kitapçıdaydı. Çok büyük bir yerdi, hayranlık uyandırıcıydı. Bir süre etrafıma bakındım, umudumu hırpalanmış eski bir uçurtma gibi uçurarak: *Raflara dadananlar arasında benim gibi yazar olanlarınız var mı? Dışarı çıkıp bir sigara içmek ister misiniz?* Ama yok. Hiçbir şey yok.

Etkinliğin yapıldığı üst kata çıktım, bir mikrofonun önünde birkaç sandalye sıralanmıştı. Merdivenin diğer tarafında cam panelli küçük bir oda fark ettim. İçerideki insanlar durmuş, başlarını vitrinlere eğmişlerdi. Kapının üzerindeki yazıyı okudum: *Nadir Eserler Salonu.* Bir görevliye içeriye bakıp bakamayacağımı sordum; *"Tabii canım, bakabilirsin"* dedi. Kapıyı iterek açtım ve eski sözcüklerin sessizliğine doğru yürüdüm.

Cam bir vitrinin ortasındaki bir kaidenin üzerinde, büyük fotoğraflı dergilerin ve deri ciltli antika kitapların arasında Jung'un *Kırmızı Kitap*'ını gördüm. Yaklaşık bir karış yüksekliğindeydi, alttan aydınlatılmıştı ve ilk sayfaları açıktı. O sayfaları okudum ve nefes alışımın değiştiğini hissettim, dildeki bir şey beni çağırıyordu. Kendimi çok tedirgin ve uçurumun kenarında hissediyordum. Kalkıp bir kitapçıda okuma yapmak ve romanımla ilgili soruları yanıtlamak istemiyordum. Sadece parkta oturmak ve bir sonraki yere uçma vakti gelene kadar arkadaşımla konuşmak istiyordum. Ama o kitabı görünce ve o sayfayı okuyunca kendimi yeniden keşfedilmiş hissettim.

O zaman bu hastalıklı sanrıdan bahsedin: derinliklerin tini daha fazla aşağıda kalamadığında ve insanı insanî dilinde konuşmak yerine zikir çekmeye zorladığında ve onu derinliklerin tininin kendisi olduğuna inandırdığı sanrıdan. Ama aynı zamanda şu hastalıklı sanrıdan da bahsedin: bu çağın tini insanı bırakmayıp yalnızca yüzeyi görmeye, derinliklerin tinin inkar etmeye ve kendini çağın tini olarak kabul etmeye zorladığı sanrıdan. Bu çağın tini tanrıtanımazdır, derinliklerin tini tanrıtanımazdır, denge ise tanrısaldır.

Okuyucu edisyonunun bir kopyasını aldım, daha küçük, sadece metin versiyonu, ve etkinliğim için yerleştirilen boş sandalyelere oturup okudum. İnsanlar konuşmayı dinlemek için içeri girmeye başladığında dirseğimi dürtüp gülümseyen, güvercin vücutlu adama şaşkınlıkla baktığımı hatırlıyorum.

O gece, etkinliğimde yaratıcılık hakkında konuştum. Dünyayı bir arada tutan ve birbirinden koparan kurguladığımız anlatılar hakkında. Edebiyatın ve hikaye anlatımının daha derin bir empati geliştirmedeki önemi ve sistemimizdeki yaygın yaşam eşitsizliği konusunda farkındalığı sürdürmenin önemi hakkında. Kitap turu boyunca bu temalar üzerinde düşünmeye devam ettim ve aslında Sidney Yazarlar Festivali'nin açılış konuşmasında da bu konulardan bahsettim. Bu metinde ortaya koyduğum her şey aslında daha o zamanlar, Portland'daki o kitapçıda, parkta o adamla tanıştıktan ve nadir eserler salonunda Jung'u keşfettikten sonra zihnime sızmaya başlamıştı. Dünyayı dolaşmaya ve beni dinlemek için toplanan kalabalıklara konuşmaya devam ederken, bahsettiğim şeylerin özünün, adını hiç bilmediğim ve bu metinde kendi adına konuşma fırsatı bulamayan bir adamla karşılaşmamdan etkilendiğini ve ilham aldığını kabul etmek önemli.

/

Kırmızı Kitap'ta Jung, bir insanın iki tin tarafından yönetildiği fikrini uzun uzadıya irdeliyor: içinde yaşadıkları çağların tini ve derinliklerin tini. Bu fikir benimle o kadar kesin bir şekilde örtüştü ki, insanlık durumuna ilişkin anlayışımın önemli bir parçası haline geldi.

Benim okumama göre, çağların tini, hayatınızı hazmedebileceğiniz bir anlatıya göre düzenlemekle meşgul olan parçanız, güncel konularla, güncel eğilimlerle ve günün arayışlarıyla ilgilenen parçanız. İster çocuk sahibi olmak, ister bir eş bulmak, ister içkiyi veya uyuşturucuyu bırakmak ya da memleketinizden ayrılmak için yeterli parayı kazanmak olsun, sizi belirli bir dizi hedefe ulaşmaya teşvik eden parçanız. Somut bir şey için çalışan parçanız. Saygınlığı ya da akranlarınızın onayını önemseyen parçanız.

Derinliklerin tini, sizin kadim parçanız. Görünmez dünyaya tepki veren parçanız. Hiçbir anlam ifade etmeyen ve ağır simgelerle konuşan parçanız. Delilikleriniz, rüyalarınız, imgelemleriniz. Derinliklerin tini arketipler, maskeler, hayvan şekilleri aracılığıyla iletişim kurar. Doğaya ve yabana yönelir. Derinliklerin tini, çağların tininin tatmin edici bir hayat yaşamak için size ihtiyacınız olduğunu söylediği şeyleri elde ettiğinizde tatmin olmaz. Derinliklerin tini, ruhu

> yaşayan ve kendinde var olan bir varlık olarak görüyor ve böylece ruhu insana bağımlı, yargılanmasına ve düzenlenmesine izin veren ve döngesini kavrayabileceğimiz bir şey olarak gören bu çağın tiniyle çelişiyor. Eskiden ruhum dediğim şeyin hiç de benim ruhum olmadığını, ölü bir dizge olduğunu

kabul etmek zorundaydım.

Kırmızı Kitap'ta Jung, derinliklerin tinini ve çağların tinini arar, bilfiil peşlerine düşer, onlara meydan okur ve onları kendisi aracılığıyla konuşmaya davet eder. Kendini bir tür transa sokar. Sonunda ruhunu "yeniden bulabilmek" için tinler ve görülerle bir araya gelmek üzere kendini psikozun eşiğine götürür.

Arzusu dışsal şeylere yüz çeviren kişi ruhun olduğu yere ulaşır. Ruhu bulamazsa boşluğun dehşeti onu kaplar ve korku onu zamanı kamçılayan bir kırbaçla sürükler ve yine dünyanın içi boş şeyleri için umutsuz bir çaba ve kör bir arzu duymaya devam eder. Sonsuz arzusuyla budalalaşır ve ruhunun yolunu yitirir, bir daha asla bulamaz. Her şeyin peşinden koşar ve onları sıkı sıkıya tutar, ama ruhunu bulamaz, çünkü onu ancak kendi içinde bulabilir.

Her şeyin peşinden koşuyoruz, her şeyi sıkı sıkı tutuyoruz ama ruhumuzu bulamıyoruz, çünkü onu sadece kendimizde bulabiliriz.

İnternet bana çağların tininin nihai ifadesi

gibi görünüyor, kolektif bilincin çok sesliliği. Ama kolektif bilinçaltını temsil edemez, derinliklerin tini şiir ve müzik aracılığıyla, kurgu, imge ve mit aracılığıyla konuşur. Derinliklerin tini çevrimdışıdır. Yeraltındadır. Yaratıcı ritüel aracılığıyla ve vahşi, birçok yönden dehşet verici bir şeye kendini bırakarak ulaşılır.

Jung'a göre, kişinin çağların tini ile derinliklerin tini arasında güçlü bir iç denge kurması gerekir, ikisinden birinin fazlası nevroz yaratır. Birey için de böyle, toplum için de. Kültürel olarak, terazinin dramatik bir şekilde değişmesine izin verdik, daha derin doğalarımızdan koptuk, derinliklerin tinine sırtımızı çevirdik ve tamamen çağların tininde yaşıyoruz. Dengemizi yeniden kazanmak için, derinlere inme becerisinde, "dışsal şeylere yüzümüzü dönme" becerisinde yeniden ustalaşmamız gerekiyor. İçimizdekilerle yüzleşmek için. Bu da bağ kurmakla ve yaratıcılıkla başlar.

Ön Grup

En yüce iş, önüne bir diğerini koymaktır.

WILLIAM BLAKE

Aynı paragrafı tekrar tekrar okuyan okuyucu kitaptan umudu keser. Kendi düşünceleri metni bölüp durur. Kendi deneyimlerine erişmek, geçmişi anımsamak, ilişkilerini gözden geçirmek ya da kendi görüşlerini pekiştirmek için okurlar. Öncelikle kendisini okumadan başkalarını okumayı beceremez. Kitabı kucağına düşürür ve telefonuna geri döner.

Bu esnada, şehrin öbür ucunda bir kişi dairesini toplarken, internetten bir şeyler sipariş ederken ve bir grup arkadaşıyla doğum günü içkisi hazırlarken müzik dinliyor. Dikkatini talep eden bir sürü şey var ve müzik odaklanmaya yardımcı oluyor. Algoritmanın hazırladığı bir müzik listesini dinliyor ve ne çaldığını ancak şarkıyı beğenmeyip atlamak zorunda olduğunda fark ediyor. Daha sonra yatak odasında yüksek tempolu bir spor salonu listesiyle egzersiz yapıyor ve ardından geceyi mutfak masasında jenerik bir piyano çalma listesiyle ders çalışarak geçiriyor. Herhangi bir besteci, herhangi bir sene, herhangi bir icracı. *Odaklanmak için sakin piyano*, seç gitsin. Moduna göre müzik. Her şey senin. İstediğini al. Alabildiğin senindir.

Üst kattaki bir sınıfta bir öğrenci, onun işyerindeki hayata daha iyi hazırlamak için yaratıcı enerjileri harekete geçirilmeden okumayı öğreniyor; metne enerjik bir şekilde yanıt vermek yerine mesafeli durmak, deneyimin bir parçası olmak yerine ondan bir şeyler almak öğretiliyor. Bağlamı daha iyi anlayabilmek için açıklama yapıyor, tartışıyor, sorguluyor, anlamı soyutluyor.

/

Zamanımızın eğilimleri içimize öyle bir işlemiş ki, eylemlerimizde kendiliğinden ortaya çıkıyor.

Ne verebileceğimizi düşünmek yerine, bir değiş tokuştan ne elde edebileceğimize veya nasıl fayda sağlayabileceğimize saplandığımızda, sömürücü davranmış oluruz. Bu saplantı o kadar içsel olabilir ki, kendimizi bundan muaf sanırız.

Kasıtlı olmayan sömürü de sömürüdür.

Çağın bir alameti: Tüketen, atomize hayatlarımız, medeniyetin saldırgan bir içgüdüden evrimleştiğine dair kibirli bir anlatıyla şekilleniyor; mağara hayatından gökdelenlere kadar bizi buraya öl ya da öldür zihniyetimiz getirdi. Avcı insan. Savaşçı insan. Sömürgeci insan. Demokratik tüketici insan. Rekabet doğaldır. Rekabet ilerlemeyi doğurur.

Peki insan doğası ayrılıkçılık, kabilecilik ve "öteki"ne karşı tutkulu bir güvensizlik midir? Yoksa iş birliği, kabul görme ve temel ihtiyaçların karşılanması koşuluyla herkese karşı yaşa ve yaşat yaklaşımı mıdır? Sizin kendi doğanız nedir? Nereden biliyorsunuz? Bu kendinize söylediğiniz şey mi, yoksa kendinizi yaparken bulduğunuz ve keşke yapmasaydım dediğiniz şeylerde mi daha iyi gözlemleniyor? Hayatınızı paylaştığınız insanların doğası nedir? Kendi davranışlarınızı ne kadar yakından fark ediyorsunuz? Kendi *duygularınızı* değil ama kendi davranışlarınızı? Başkalarının davranışlarını ne kadar yakından fark ediyorsunuz?

Ya uygarlığı avcılar olarak değil de ortakçılar olarak oluştursaydık? Barbara Ehrenreich, savaşın kökenlerine dair teorisini anlattığı *Blood Rites*'da [Kan Ayinleri] bu konu hakkında yazar. Ehrenreich'e göre atalarımız, "parçalanma ve yenilip yutulma dehşetinin kamp ateşinin ötesindeki karanlıktan daha uzak olmadığı" av olma kabusundan bir şekilde kurtulmuş olanlardır. Ehrenreich, dünyanın dört bir yanında, ABD ve Japonya gibi birbirinden farklı kültürlerde, yırtıcı hayvanlar tarafından yendiklerine dair aynı rüyayı anlatan öğrencilerle karşılaşıyor. On yıllar boyunca egomuz o kadar şişmiş ki, arkeologlar büyük kedi kemikleri ve insan kemiklerinin birbirine karıştığı kazı alanlarını ortaya çıkardıklarında, bunların ritüel amaçlı aramızda tuttuğumuz kediler olduğunu varsaydığımızı anlatıyor. Gerçekte olan ise, yırtıcı hayvanların midelerindeki insan kalıntıları. Ehrenreich, yirminci yüzyılın ilk yarısında kabul gören avcılığın "insan evrimini yönlendiren yegane faktör" olduğuna dair yaygın inancın ataerkil hane normlarına hizmet ettiğini ve kadınların evde kalıp evi çekip çevirmesi, erkeklerin ise dışarı çıkıp ekmek parası kazanması gerektiği şeklindeki istismarcı statükoyu "doğallaştırdığını" belirtiyor. Bu da kaçınılmazlık hissine yol açtı - her şeyin sadece böyle olduğu ve işlerin farklı olmasını hayal etmenin bile anlamsız olduğuna inanıldı.

Ehrenreich'in kökenlerimize dair anlayışında, kadınlar grubun hayatta kalmasında önemli bir rol oynamıştır. Eve mahkum değillerdi, zayıf cinsiyet değillerdi, üstelik zorunlu olarak azimli ve son derece güçlülerdi. Tehlikeli olabilecek bir alanda ilerlerken çocukları her an korurlardı. Yiyecek toplamada ve hayatta kalmak için gereken atiklikte ve hızlı iletişimi sürdürmede, kaçmaya veya potansiyel bir yırtıcıyı caydırmaya hazırlanmada esastılar.

Avcı olmadan önce, avdık. Ve bir araya gelmeyi öldürmek için değil, hayatta kalmak, av olmaktan kurtulmak için öğrendik.

2014 yılında yapılan bir çalışmada, sağlıklı bireylerden aktörlerin, yani tanımadıkları kişilerin ellerini buzlu suya daldırdıkları videoları izlemeleri istendi. Deneklerin kendi ellerinin fiziksel sıcaklığı bu görüntülere tepki olarak düştü. Bu durum sıcaklık bulaşması olarak biliniyor. Bu, sosyal etkileşimlerde birbirimize fizyolojik olarak tepki verdiğimizi göstermektedir: akraba olmadığımız ve hiçbir ilişkimiz olmayan insanların fiziksel rahatsızlık veya şok yaşadığını gördüğümüzde, vücutlarımız tepki veriyor, üşüdüğünü gördüğümde cildimin sıcaklığı düşüyor. Bu tepki sistemi "duygusal anlayışı ve grup bütünlüğünü" kolaylaştırıyor.

Bizler, birbirimizi hisseden empatik varlıklarız. Bir tür olarak başarımız, birbirimizin ihtiyaçlarının farkında olma, birbirimizin acısını fark etme ve derinden hissedilen fizyolojik ve duygusal empatiyi deneyimleme yeteneğimize dayanıyor.

2017'de yayınlanan bir başka çalışma, bir tiyatro oyunu izlerken seyircilerin kalp atışlarının senkronize olduğunu ortaya koydu. Seyirciler "nabızları aynı oranda hızlanıp yavaşlayarak hep birlikte" tepki verdiler, "canlı tiyatro performansını deneyimlemek, grup farklılıklarının üstesinden gelecek ve izleyicilerde ortak bir fizyolojik deneyim yaratacak kadar sıradışıydı".

Yüzeyin altında birbirimize bağlıyız.

/

Başka insanların hikayelerine dalmak empatiyi geliştirir. Anlatılan hikayeleri okurken veya dinlerken, anlatıda yeterli gerilim olması koşuluyla, beynimiz odaklanmamıza ve konsantre olmamıza yardımcı olmak için kanımıza kortizol ve ayrıca ilgi ve empatiyle ilgili bir kimyasal olan oksitosin salgılar. Tiyatro ve müzik uzun zamandır ahlakımızı sorguladığımız, eksikliklerimizi düşündüğümüz ve erdemlerimizi kutladığımız arenalar olmuştur. Antik çağların trajik oyunlarını düşünün. Zayıflıklarını inkar eden kahramanların sonunda kendi körlükleri yüzünden düşüşlerini izleriz. Eski halk şarkılarını, ihanet, gurur, cinayet destanlarını düşünün. Günümüz TV dizilerinden pek de farklı olmayan ağız sulandırıcı ahlaki hikayeler. Hepsinin derdi bizi mücadelelerini bildiğimiz kişilere daha fazla şefkat göstermeyi önemseyen bir yaşam sürmeyi öğretmek. Hikayeler ve şarkılar bizi en iyi ve en kötü doğalarımızla temasa geçirir, kendimizi başkalarının deneyimlerinde bulmamızı sağlar ve merhametimizi geliştirir. Ancak bunlar boşlukta işe yaramaz. Bir hikaye sadece düşünülmüş olduğu için empatiyi geliştirmez; güçlü olabilmesi için onunla uğraşılması gerekir; tam yol ilerleyebilmesi için hikaye okunmalı, şarkı dinlenmelidir.

/

Sayfadaki kelimeler eksiktir. Şiir, roman ya da kurgu dışı bir kitapçık, ele alınıp kendileriyle ilgilenildiğinde tamamlanmış olur. Bağlantı iş birliğidir. Kelimelerin anlam kazanması için okunmaları gerekir.

Metne hayat veren yaratım sancıları içinde yazar, bu gücün pilotudur. Bir fikrin kıyısında tek başlarına durur, onu oltasıyla çekmeye çalışır. Ancak yazar eseri teslim ettikten sonra, eser artık ona ait değildir; artık onu eline alıp tamamlayan kişiye aittir. Yazarın kendi eserine yönelik niyetleri, bir ebeveynin çocuğunun hayatına yönelik niyetleri kadar yanılgılıdır. Hayatlarının neye dönüşeceği hakkında gerçekten ne bilebilirsiniz? Ana rahmine düşüş ve yetişkinliğe güvenli geçişten sonra, onların geleceğindeki rolünüz arka plana indirgenir. Onlar oldukları kişi olmak zorundadırlar ve bu da geçici olacaktır çünkü onlarla karşılaşan herkes için yeni biri olacaklardır.

Metnin bağ kurucu gücüne gerçekten faydalı olabilmek için sorgu memuru olmaktan ziyade orkestra şefi olmalıyız. Bizler, okuyucular ya da dinleyiciler, metnin, hikayenin ya da şarkının güçlü olması için çok önemliyiz. Bizler tarafsız gözlemciler değiliz, biz devrenin temel bir parçasıyız; eğer bağlı değilsek, akım mümkün olmayacak.

Bağlayıcı devre üçgendir. Elektrik yüklü bir bağlantının kurulabilmesi ve hissedilebilmesi için eşit güçle beslenmesi gereken üç istasyon vardır. Bu istasyonlar yazar, metin ve okuyucudur. Düşündüğünüz biçime bağlı olarak bu terimleri değiştirebilirsiniz, ancak temel öz, bağlantının gerçekleşmesi için eserin yaratıcısının, eserin kendisinin ve bu eseri hayata geçirecek kişinin eşit derecede aktif olması, enerjiyi iletmesi gerekir, böylece ampul yanabilir.

Bir romandan, bir şiirden, bir resimden ya da bir albümden (ya da bir sohbetten ya da bir ilişkiden) almayı umduğumuz kadarını verdikçe, derinliğe inme ihtimali artar. Okurlar olarak, bir şey doğrudan deneyimlerimize hitap ettiğinde ve kelimeler içimize işlediğinde bu derinliğin gerçekleştiğini hissederiz. Şairin ya da yazarın bizi tanıdığını hissettiğimiz duygusuna kapılırız. Bu, devre bağlantısıdır. Portland'da *Kırmızı Kitap*'ı keşfettiğim zamanki gibi. Kelimelerin birebir aynısını unutabilirsiniz ama metinle kurduğunuz ilişkiyi hayatınız boyunca taşırsınız. Bunun tamamen metnin niteliğinden kaynaklandığını düşünebilirsiniz, ancak bu aynı zamanda sizin okumanızın niteliğiyle de ilgiliydi. Yazar, metin ve okur olarak sizin aranızdaki bağlantı, belirli bir noktada, belirli bir duygusal tepkiyi ortaya çıkaran belirli bir dizi koşulla, bu derin anlam duygusunu yarattı.

Turneye çıkan bir şair olarak, kendi çalışmalarımın hem yazarı hem de okuyucusu oldum; çalışmalarımı belleğime kaydederken ve her gece sahneye çıkarken, bir bakıma metnin kendisi de oldum. Bu devrenin her aşamasında bağlantının ateşlendiğini ve tutukluk yaptığını hissettim.

Brand New Ancients [Yepyeni Antikler], tiyatrolarda okuduğum yetmiş beş dakika uzunluğunda bir şiirdi ve elektronik davul, keman, çello ve tuba dörtlüsü için yazılmıştı. Şiiri aylar boyunca, haftalar süren yoğun yaratıcılık patlamaları içinde yazdım ve bitirip kendi ayakları üzerinde turneye çıktığında, yazar Tempest'ın yazıyla ilgili hiç bilmediği şeyleri okuyucu Tempest'ın her gece artan bir netlikle keşfettiğini ilk elden gördüm. Metni bedenime işledikten ve onu insanlarla dolu salonlara ulaştırdıktan sonra, okuyucu olan benim için temalar ortaya çıktı. Yazarken farkında olmadığım dil örüntüleri. Karakterler arasındaki örüntüler. Anlamı sezmeme ve metni hatırlamama yardımcı olan bağlantıları fark ettim, çünkü bunlar bana bir pasajdan diğerine neden geçildiğini hissettirdi, ancak yazarken bu bağlantıların aynı şekilde farkında olmadığımı söylemeliyim. O zamandan beri turnesine çıktığım her eserde bunun böyle olduğunu gördüm. Okuyucu, yazar tarafının dahil olmadığı bir keşif sürecinden geçiyor. Bu nedenle son albümüm *The Book of Traps and Lessons*'ı [Tuzaklar ve Öğütler Kitabı] hafızama kaydettikten sonra tek seferde kaydetmeye karar verdim. Bu keşif sürecine olabildiğince yaklaşmak için.

Bu sadece kelimelerin kendisiyle ilgili değildi, aynı zamanda doğru duygu derinliğinde sırayla söylenen kelimelerin duygu ve deneyim arasında nasıl köprüler oluşturduğuyla ilgiliydi. Seyirci ve sahne arasında, mekan ve kalabalık arasında. Katılan herkesin kendileriyle birlikte salona getirdiği gün ile gelecek gecenin beklentisi arasında. Bağlantı kurulduğunda, her şey birbirine kenetlenir ve ortak bir duygu anına, tüm salonu ortak bir şimdiki zamana bağlayan yaratıcı bir bağlantıya doğru ilerler.

/

Karakterlerimi yazarken, her zaman onların iç yaşamları – küçük etkileşimleri, özel umutları ve samimi ilişkileri – ile dış yaşamları – içinde bulundukları çevrenin imkânsız büyüklüğü ve geçinmek için yapmak zorunda oldukları şeylerin günlük gerçekliği – arasında var olan gerilimi ortaya çıkarmaya çalışıyorum. Karakterler genellikle daha geniş bir dünyadaki yozlaşmış eğilimleri tespit etmeyi, aynı eğilimlerle kendi içlerinde yüzleşmekten daha kolay buluyorlar. Karakter gelişimleri genellikle kendi davranış kalıplarıyla hesaplaşmakla ilgili. Çeşitli çalışmalarımdaki karakterlerin neredeyse tamamı bir değişimle yüzleşmeye kararlı. Hayatlarında ya da ilişkilerinde derin bir fark yaratmaya. Örneğin, *The Bricks that Built the Houses*'da kıskanç güvensizliğinin üstesinden gelmek için mücadele eden Harry. Ya da *The Book of Traps and*

Lessons'da daha az bağımlı bir şekilde sevmeyi öğrenmek için çırpınan anlatıcı 'ben'. Ya da *Let Them Eat Chaos*'ta [Bırakın Kaos Yesinler]'ta kendini nasıl yeniden canlandıracağını ve kişiliksizleşmesinin üstesinden nasıl geleceğini merak eden Bradley.

Ahlaki değerlerimizi, davranışlarımızı ve yaşam tercihlerimizi etkileyen sadece yakın ailelerimiz ve içinde bulunduğumuz koşullar değil; dünyanın genelindeki baskın anlatılar da kararlarımızı ve arzularımızı etkiliyor. Şimdi kabul edilebilir olan ile o zamanlar kabul edilebilir olan arasındaki kuşak farklarını düşünün - bir işte ömür boyu çalışma anlayışının kayboluşundan, 'şöhret'in kendi başına geçerli bir kariyer seçeneği haline gelmesine kadar.

Benim hikayelerimde, karakterlerimin çoğu içlerine sinmiş bir hissizliğin kurbanı oluyorlar; bu, geçimini sağlamaya ve bir hayat kurmaya çalışmanın anlaşılabilir bir bedeli olarak sunuluyor. Ancak kişinin kendi davranışlarını fark edememesi, günümüzün kalıplarının görünürdeki yanlışlanamazlığına katkıda bulunuyor. Şiddetin kökünü kazımak bir yana, kendi içimizdeki şiddeti bile fark edemiyorsak, kültürün genelindeki şiddeti ortadan kaldırmayı nasıl bekleyebiliriz?

Gaddar bir patronun işgücünü sömürmesini fark etmek ve lanetlemek nispeten kolay. Aynı sömürüyü kendi evinizde tespit etmek ve lanetlemek daha zor; ev işlerinin adil olmayan bir payını tek bir eş mi omuzluyor? Çocuk bakımını? Mali sorumlulukları? Zamanın açgözlülüğü, hainliği, gururu ve ihaneti başka her yerde, herkeste görülebilir, siz başınızı iki yana sallayarak kınayın diye her gece televizyonda açıkça sergilenebilir, ama günün sonunda kapıyı kapattığınızda, sevdiklerinizle karşılaşmalarınızda bunu fark edebilir misiniz?

Bunun en iyi ifadesini Killer Mike El-P'den duydum: "Yalan söyle. Hile Yap. Çal. Kazan. Kazan. Herkes böyle yapıyor".

/

Yeni alışkanlıklar edinmek rahatsız edicidir. Eski alışkanlıklar peşimizi bırakmak istemez. Kendimi sohbetlerden uzaklaşırken, başkaları konuştuğunda kolayca dikkatim dağılırken ya da biri deneyimlerini anlatmaya çalıştığında kendi deneyimlerimi düşünürken buluyorum. Fark etmesi zor, çünkü bu kopuk halde özfarkındalık çekip çıkarılan ve susturulan ilk frekans oluyor. Bu olduğunda yeniden bağlanmak için yaratıcılığa ihtiyacım var, yapmak istediğim son şey bu olsa bile. Yaratıcı bağlar kayıp gitmeye başladığında kişiyi kendine yaklaştırıyor, bu yakınlık engindir ve daha derin odaklanmayı ve daha iyi dinlemeyi teşvik eder, bu da engin bağları tekrar teşvik eder.

Bir kız öğrenci masasında oturuyor. Başı ders kitabında, sayfalara bakıyor. Yazıyor olması gerekiyor ama içi kıpır kıpır ve düzgün düşünemiyor. Masaya sessizce vurmaya başlıyor, parmak uçlarıyla bir ritim tutturuyor ve bir an için ritmin hazzında kayboluyor.

Yetmiş yaşlarında bir kadın otobüs durağında beklerken zaman geçirmek için eski bir kilise şarkısı söylüyor. Yanında bekleyen çok daha genç adam daha iyi dinleyebilmek için gözlerini kapatıyor.

Bir çocuk alacakaranlıkta parkta yürüyor, dalların tepesinde süzülen kuşları izliyor.

Bir grup insan bir tiyatro atölyesinde bir

çatışma senaryosunu canlandırıyor ve olayların nasıl daha farklı sonuçlanabileceğini tartışıyor.

Daha iyi ya da daha ilgili bir metin okuyucusu ya da müzik dinleyicisi olmak beni, diğer insanları, dünyayı ve kendimi daha iyi okuyan ve dinleyen biri olmaya özendirebilir mi?

Bence, evet.

Bana kesinlikle faydası oldu. Anlık davranışlarımı fark etme konusunda hâlâ berbat olsam da. Fark etmediğimi bile fark etmeyi bilmeden önceki halimden kesinlikle daha iyiyim.

Esasen şöyle: Bana her zaman başka insanların da var olduğunu ve onların varlığının da en az benimki kadar yoğun bir şekilde hissedildiğini hatırlatabilecek her şey faydalıdır. Müzik ve edebiyat beni doğrudan bir başkasının deneyiminin içine sokuyor ve doğrudan kendi deneyimimin içinden çıkarıyor.

Kabir diyor ki, "Aşk kelimelerde yaşanmaz". Eğer kendimi bir şeye adayacaksam, sadece düşüncede değil, eylemde de adamalıyım. Bir başkasının hikayesiyle kasıtlı olarak bağ kurmaya yönelik günlük bir pratik, bana, yani ilgili okuyucuya, sömürücü, saldırgan veya bencil olmadan bir değiş tokuşa nasıl yaklaşılacağına dair yaşanmış bir örnek sunabilir. Ancak bu alışkanlığı sadece okuyarak geliştiremem. Bir noktada pratiğini yaptığım şeyi dünyaya taşımam ve karşılaşmalarımda uygulamaya başlamam gerekiyor. Kabir aynı şiirde şunu da söylüyor: "Sözünü ettiğim aşk, kitaplarda yazmaz. | Onu isteyen ona sahiptir." Eğer gerçekten daha yankılı bir deneyim arzuluyorsam, o zaman onu bulacağım. O zaten orada. Bir dahaki sefere beni rahatsız eden bir yabancıyı sert bir şekilde yargılamak üzereyken, bunun yerine onu kusurlu ve karmaşık bir insan olarak görmek için kendime izin verebilir miyim? Kalp kırıklıkları, kayıplar, hırslar ve hayal kırıklıklarıyla dolu, şimdiye kadar başarısız oldukları her şeyden oluşan çalkantılı bir yolda yürüyorken? Peki ya bir dahaki sefere en yakınlarımı şu ya da bu şekilde duygularımı incittikleri için sert bir şekilde yargılamak üzere olduğumda? Aynı şeyi onlar için de yapabilir miyim? Onları benim hikayemin bir aksesuarı olarak değil de kendi hikayelerinin baş kahramanı olarak görebilir miyim?

Hazırlıklar

Lanet sarıp sarmalar: Hayır duası gevşetip rahatlatır.

WILLIAM BLAKE

Covid-19 kapanmaları sırasında bunu yazmanın sinir bozucu bir yanı var. Son iki-üç ay, "bağlantı kurmak" zaten olduğundan daha da fazla dillere pelesenk oldu ve esas olarak konferans uygulamalarının indirilmesini teşvik etmeye yaradı. Şansıma bak ki zeitgeist'ın gerisinde kaldım. Şu işe bak! Yol tıkanmış. Burada, boş boş, düşüncelerimin özgürce akmasını bekliyorum, "bu benzeri görülmemiş zamanların" tank gibi kütlesinden kalan sıkışık alanlarda savaşmaları gerekirken.

İnternette, bu kitabın başında bahsettiğim şaşırtıcı değişimi, bir performanstan sonra gerçekleşen salonun eşitlemesini hissedemezsiniz. İnternet, benzer insanların birbirini bulmasını mümkün kılıyor ve bu son derece önemli. Ancak birbirine benzemeyen insanların savunmaya geçmeden birbirleriyle iletişim kurmalarını da zorlaştırıyor. Anekdot olarak şunu söyleyebilirim, büyürken tüm ahbaplarım heteroseksüel erkeklerdi. En yakın arkadaşlarımın benim deneyimlerimin bazı unsurlarını anlamadığını kabul etmek zorunda kaldım ve hatta hayatım heteroseksüel erkek arkadaşlarımın deneyimlerini daha iyi yansıtabilsin diye kendimin büyük bir kısmını örtbas ettim. İnternette, benzer toplumsal cinsiyet ve cinsellik deneyimleri olan ve sorularımın yanıt bulabileceği, deneyimlerimin ortak ve makbul hissedilebileceği alanlar oluşturan insanlar bulabiliyorum. Yaşanmış deneyimlerdeki farklılıklara işaret etmek zorunda kalmadan anlaşıldığımı hissetmek içimi rahatlatıyor. Ancak alternatif topluluklar yaratmanın önemi nedeniyle, farklılıklarımıza bağımlı benlikler kurduğumuz bir yere geldik. Topluluklar birbirlerine karşıt olarak gelişiyor. İnternet giderek kendimizi şu ya da bu inanç sistemini paylaşan ve aynı fikirde olmayan insanlara şüpheyle yaklaşan şu ya da bu kabilenin üyeleri olarak tanımladığımız ve yeniden onayladığımız bir yer haline geliyor. Fakat *Current Biology*'de yayınlanan 2015 tarihli bir araştırmanın bulgularına göre, "Empati kurma yeteneği –yani başkalarının duygularını paylaşma ve hissetme kapasitesi– yabancıların etrafında olmanın yarattığı stresle sınırlıdır."

Dijital tepenin hemen ardında bekleyen düşman bir "ötekiler" grubu fikri –sosyal adalet duyarı kasanlar ve kasmayanlar, hassas kar tanecikleri ve yobaz dayılar, derin devlet komplo teoricisi ve ana akım haber tüketicisinden oluşan köpüren kalabalıklar ya da başka herhangi bir biz ve onlarcılık– empati kurma becerilerimizi olumsuz etkiliyor. Algılanan tehdit bizi daha az güvenen ve daha az açık, birbirimizden daha da uzaklaşmış ve bağlılık yemini ettiğimiz kişiyle bizi bir arada tutan her ne ise ona daha sıkı sarılmış hale getiriyor.

İnançlar uğruna, savunduğumuz ya da karşı olduğumuz şeyler uğruna birer araç haline geliyoruz. Tamamen şu ya da bu olarak, kutuplaşmalarımızda haklı ve doğru bir şekilde kolektif bilince dahil olmak için ince farklılıklarımızı susturuyoruz. Bunun başkalarında uyandırdığı tepkinin zevkini çıkararak. Ben bir Aziz George Haçıyım* ya da Tüm Polisler Piçtir'ciyim.* Ve eğer alındıysan, siktir git. Ben kim olduğumu biliyorum. Neyi temsil ettiğimi biliyorum.

Keşfedilmemiş Benlik'te Jung şöyle yazıyor:

> Birçok insan "kendini tanımayı" bilinç düzeyindeki ego kişiliğinin bilgisi ile karıştırır. Biraz ego bilincine sahip herkes kendisini tanıdığından emindir. Ama ego sadece kendi içeriğini bilir, bilinçdışını ve onun içeriğini bilmez. İnsanlar kendilerini tanıma derecelerini çevrelerindeki ortalama bir insanın kendisini tanıma oranı ile değerlendirirler, büyük ölçüde kendilerinden gizlenmiş olan asıl ruhsal gerçeklerle değerlendirmezler.

İşte bu yüzden şiir salonu hemzemin eyler. Çünkü gizlenmiş ruhsal gerçeklere hitap eder.

Başkaları tarafından yargılanmak toplumsal yaşamın bir parçası. Kendimize başkalarının hakkımızda ne düşündüğünü umursamadığımızı söyleyebiliriz, ancak belirli özellikleri teşvik etmek ya da caydırmak için iyi bir dedikodudan zevk alma becerisini geliştirdik: Tarih öncesi toplumda bencillik tehlikeliydi, çünkü biri tüm yiyeceği yerse diğerleri aç kalabilirdi. Dolayısıyla dedikodu, istenmeyen davranışları kontrol altında tutmanın bir yolu haline geldi. Toplumsal kuralları çiğnemekten, kızdırmak istemediğiniz kişilerce "arkasından konuşulmaktan" doğan zor duygular, yüzlerce nesil boyunca ahlak anlayışımızın dokusuna işlendi.

Peki kendimi nasıl daha iyi tanıyabilirim? İnsanların benim hakkımda ne düşündüğünün ya da insanların benim hakkımda ne düşündüğünü düşündüğüm için kendim hakkında ne düşündüğümün ızdırap veren katmanlarının altına nasıl inebilirim? Ne göstermek istiyorum? Bilinçli olarak neyi saklı tutmaya çalışıyorum? Neticede, kendini tanıma ile kendinle takıntılı olma arasındaki fark nedir? Biri, kendimizle daha derin bir bağlantı deneyimi, ki bu da başkalarıyla daha besleyici bir bağlantı kurulmasını sağlar. Diğeri ise benliğin daha derin ihtiyaçlarının hor görülmesi, bu da başkalarının hor görülmesine yol açar.

Kendi ihtiyaçlarınızın farkına varmak ve kendinizi kendi ihlallerinizden koruyabilmek için sınırlar belirlemek zordur. Örneğin birini sevmenin, ona elinizden gelen her şeyi vermek, onun arzularını daha iyi yerine getirmek için kendi arzularınızı göz ardı etmek, onun da sizin için aynı şeyi yapacağını umarak kendinize hiçbir şey bırakmamak anlamına geldiğini düşünmek kolaydır. Reklam çiftleri, film çiftleri, parfüm çiftleri, başarılı ilişkilerin TV tasvirleri zehirleyicidir. En şaşırtıcı durumların içine sızmanın bir yolunu bulurlar. Hiç kendinizi kurtarılmak için çaresiz hissettiğiniz oldu mu? İçinde bulunduğunuz durumun kahramanı olmak için çırpındığınız? Her şey pahasına sevilmek istediğiniz? Femme fatale'i oynamayı istediğiniz? Mutlu aileyi? Yakışlıklı asiyi? Kıskanç sarhoşu? Herkes tarafından "o kişi" olarak kabul edilmek için çığlık çığlığa bir arzu beslediğiniz oldu mu? Ya da yeni bir aşkla gün batımına doğru kaçmak ve bu enayileri geride bırakmak? Kim bu insanlar? Neden o boktan reklamlardan çıkıp buraya, mutfak masalarımıza geldiler ve günaydın deyişimizi etkilediler?

"Kendini tanı", Delphi'deki tapınağın girişinde yazılı olan üç ünlü özdeyişten ilkiydi. Shakespeare bize "Kendine karşı dürüst ol" der. Mısır tanrıçası İsis'in müritleri, kendini gerçekleştirme yoluyla ilahi olanla temas kurabileceklerine ve cennetin krallığının kendini tanıma yoluyla erişilebilir olduğuna inanıyorlardı. Wu-Tang Clan'dan Brand Nubian'a, Rakim'den Gangstarr'a kadar

Altın Çağ'ın ünlü hip-hop sanatçılarının hepsi, (Harlem'de doğan ve İslam Milleti'nin eski bir üyesi tarafından geliştirilen, kendini tanıma bilgisini geliştirmenin temel önemini ilke olarak öğreten bir organizasyon ve teolojik disiplin olan) Yüzde Beşçiler'in ilkelerinden yararlanarak, kendini bilmenin önemine sürekli atıfta bulunuyorlar. Ve işte gene, benlik çağına geldik ve şimdiye kadar, bir kültür olarak, ilahi olana erişmemize izin verilmedi. Nitekim şu anda satılan ürünler arasında aynı zamanda bir cep telefonu kılıfı olan bir yüzük kutusu da bulunuyor, böylece sevgilinize evlenme teklif ettiğinizde yüzük kutusunun açılmasıyla cep telefonunuzun ekranı açılıyor ve eşinizin tepkisi kaydedilmeye başlanıyor; bu da özel "teklif anınızı" internette paylaşmak için mükemmel bir yöntem. Kadim bilgeliği yanlış mı yorumlamışız? Nasıl oluyor da öz bakım, kendine zarar verme ve kendini geliştirme çağında, benlik bilgisi cennetin krallığını getirmiyor?

/

Hayat, statü arayışı olduğunda ve statü zenginlikle ölçüldüğünde, varlığımızın neticelerini elde ettiğimiz mal varlığına ya da yapılacaklar listemizdeki hedeflere göre değerlendiririz. Bu zehirli bir mitolojidir ve buna inanmasak bile, en derin dürtülerimiz üzerindeki etkilerini tespit etmek için niyetlerimizi dikkatle incelememiz gerekir. Neden sahnedeyiz? Neden çıkarlarımızın peşinden gidiyoruz? Neden spor salonuna, bara ya da bahisçilere gidiyoruz? Neden istediğimiz partnerleri istiyoruz? Nasıl kendimize aynı anda iki gerçeği söyleyebiliyoruz? Neden fantezilerimizi gizlice gerçekleştiriyoruz? Neden yeni kıyafetler, pahalı mücevherler ya da farklı bir vücut için yanıp tutuşuyoruz? Neden bir ev ya da bir BMX, bir BMW ya da bir yüz dövmesi için para biriktiriyoruz? Neden bunlar bizim için kabul edilebilir? Bir insanın değerinin, hepimizin içine doğduğu bu hayali oyunu oynamakta ne kadar usta olduğuyla eşdeğer olmadığını rasyonel olarak biliyoruz. Ama bu oyunda birisi ustalaşamazsa, yetersiz kalır. Kaybeden olurlar, hiçbir yere asılı olmayan bir merdivenin en alt basamağına sürülürler. Ve onların altta kalması, bir üst basamaktakilerin tırmanırken onlara basarak kuvvet almasını sağlar. Ve tırmandıkça ilerlemeyi hak ettiğimizi düşünmeye başlarız. Her oyunda bazı insanların kaybetmesi gerektiğini kabul ederiz. Hayatın hepimizi eşit vahşilikte itekledığini ve tüm oyunun hileli olduğunu rahatlıkla unuturuz.

Birçok şey, başkalarının saygısını kazanmak için yapılıyor. Çocukluktan, ergenliğe ve yetişkinliğe kadar. Akranlarımız tarafından onaylanmadığımızda şüphe içinde belimiz bükülüyor.

Kendimizi kanıtlamak istiyoruz. İçe dönmek ve oradaki eksiklikle yüzleşmek yerine, dışa doğru ilerliyoruz, kendimizi günün ıvır zıvırlarıyla ya da geceyi geçirmemize yardımcı olan her neyse onunla süslüyoruz. Benim için yaratıcılık yolculuğu tanınma ihtiyacıyla, akranlarımın takdiriyle başladı. Sonra bir albüm anlaşması geldi. Sonra para geldi – sanatımla geçimimi sağlamak istedim. Sonra ödüller geldi – övülmek istedim. Neden? Kendi gerçeğimle baş başa kaldığımda bunun bana ne faydası var? Kendi kendime katlanamıyorsam, kendi tenimde rahatlayamıyorsam, kendi güzelliğimi göremiyorsam ve aslında kendimi yok etmek için çaresizce çırpınıyorsam, bunlar bana ne kazandırabilir ki?

Benim karakterlerimde bu, umutsuzluğa sürüklenmedir. Kabul edilmeyen derinlikler, insanları vurdumduymaz davranışlara iten şeydir. Bu yüzden insanlar kâr uğruna terör estirebiliyorlar. Bu yüzden insanlar midelerinin kaldıramayacağı hayatlar yaşayabiliyorlar. Bu yüzden insanlar namussuz sırlarını yıllarca saklayabiliyorlar. Bir insanın içsel yaşamının tüm spektrumunun bizzat kendisi tarafından kabul edilmemesi, sakıncalı kısımların susturulmasını çok daha kolay hale getiriyor. Ve bunu başkalarına ilişkin okumalarımızın içine yerleştiriyoruz. İnsanların gerçekte oldukları kadar karmaşık ve çok boyutlu olmalarından nefret ediyoruz. İnsanları parantez içinde tutmayı, *onlar*ın *bizim*le nasıl ilişki kurduklarına dair keyfi sınıflandırmalarla düzgünce tertiplemeyi seviyoruz.

Eğer onaylanmanın sizi tanımlamasına izin verirseniz, onaylanmamanın da sizi tanımlamasına izin vermekten başka çareniz kalmaz. Başkalarının fikirlerinden etkilenebiliyorsanız, başkalarının kabulü için yanıp tutuşuyorsanız, kendinizi özgüvensizliklerinizin üzerine çıkaracak bir konum arzuluyorsanız, derin yaratıcı bağlantı size bunların hiçbirinin sizi tanımlamadığını ve aslında bunların hiçbirinin önemli olmadığını hatırlatacaktır. Kanaatinizi güçlendirmek için onaya ihtiyaç duyuyorsanız, bu kanaat değil, bir yapmacıklıktır. Ve en ufak bir sorgulamada eriyip gidecektir.

Onaylama ve onaylamama artık soyut fikirler değiller. Gönderdiğimiz her şeye bir cevabın geldiği çevrimiçi ortamda akan, gözle görülebilir, izlenebilir akımlar. Küresel reytingimizi kestirmek sapkınca kolay; bir insan olarak benim değerim nedir? Tüm bu yorumlar ve beğeniler bana bunu söyleyecektir.

Kendimin ne olduğunu bilmezken başkalarının neyi temsil ettiğine nasıl güvenebilirim? Şurası doğru ki, eğer insanlar söylediklerimi genel olarak onaylıyorsa, söylediklerimin bir değeri olduğuna inanmak daha kolaydır. Ama onaylamayı bıraktıklarında, bana ne olacak? Söylediklerimin herhangi bir geçerliliği olup olmadığını tespit edemeyecek halde mi kalacağım? Onaylanma ya da onaylanmama gibi dar görüşlü bir ikiliğin ötesinde güdülerimi anlamam gerekiyor. Bu beni tanımlamıyor. Yanılabilir olarak doğdum ve hayatımda ne kadar doğru ya da yanlış giderse gitsin, tıpkı herkes gibi yanılabilir olarak öleceğim.

Sorun şu ki, hayatımı başkalarının standartlarına göre yönlendirirken yaratıcı pusulamı paslanmaya terk ettim ve şimdi, ona gerçekten ihtiyacım olduğunda, takılmış halde ve ben hangi yöne gideceğimi bilmiyorum.

Kendimi ürettiklerimin dışında tanımalıyım, çünkü kim olduğumun ne üretebildiğimle, neyi başaramadığımla ya da neyi başardığımla hiçbir ilgisi yok. Herkes başarısız olur. Hayatın kendisi başarısızlıktır: en nihayetinde sona erer. Bu onu daha az tesirli yapmaz. Başarılı bir şekilde ne üretebileceğime, nelerden para kazanabileceğime, nelere katkıda bulunabileceğime odaklanmak, üretim/tüketim zihniyetini dayatan ve kendimi değerli kılmak için tüketmek üzere çalışmam gerektiği düşüncesinin esiri yapan sistemik bir baskıdır. Kârı maksimize etmek için sömürülebilecek mal veya hizmetler üretebiliyorsam değerliyim demektir. Kâr için sömürülebilecek mal veya hizmetler üretemiyorsam, değersiz olmaya devam ederim. Çocuklarımın birincil bakıcısıysam, evin işleyişini ve çocukların güvenliğini ve sağlığını korumak için tüm gün evde çalışmak zorundayım. Çalışma saatlerim zor ve uzun. Ancak bu emek paraya çevrilemez ve kâr amacıyla kullanılamaz, dolayısıyla toplumda değer görmez. Aynı hanede birincil geliri sağlayan kişi bensem, işe giden bensem, deneyimlerim değerlidir çünkü kazanç gücüm tüketebildiğim anlamına gelir; beni önemli kılan budur; arzularımın karşılanması teşvik edilir. Eğer bir "işim" yoksa ya da düşük gelirli bir hanede yaşıyorsam, ihtiyaçlarıma, bana gözden çıkarılabilir bir gelir sağlayan düzenli bir maaşım olduğunda ve zevk aldığım şeyler için para ayırmaya hazır bir şekilde dışarı çıktığımda olduğu gibi değer verilmez.

Sağlıklı ilişkiler kurmak için büyük çaba sarf ediyor olabilirim, iyi bir öz bakım rutini uyguluyor olabilirim, arkadaşlarıyla birlikte olmaktan keyif alan ve başkalarını derinden önemseyen harika bir dinleyici olabilirim, kendimi çevre meselelerine ya da bir dövüş sanatını icra etmeye veya topluluk etkinlikleri yürütmeye adamış olabilirim, yetenekli bir bitki uzmanı olabilirim, yaşam alanımı düzenlemekte harika olabilirim ya da sevdiklerimin zor kararlar almasına yardımcı olmakta şahane olabilirim, ama eğer para almıyorsam, becerilerimin kamusal bir değeri yoktur, çünkü satılmayan şey satın alınamaz.

Nihayet şiiri tam zamanlı işim haline getirebildiğimde, insanlar bana ne iş yaptığımı sorduklarında ve ben de "yazıyorum" diyebildiğimde hissettiğim haz patlamasını hatırlıyorum. Kaçınılmaz olarak cevapları şu oluyordu: "Tabii yazıyorsun. Peki bunun için para alıyor musun?" Ve sonunda, "Evet, alıyorum! Hayatımı şiir yazarak kazanıyorum," diyebildim. Konuşmanın tonundaki değişim tuhaf bir şekilde keyif vericiydi. Birdenbire, "Ah, tamam! Sen 'gerçek' bir sanatçısın. Para kazanıyorsun! Bunu sadece 'sanat aşkı' için yapan aptal bir sanatçı değilsin." Mesele şu ki, kendimi bir şair olarak görmeye cüret etmeden çok önce de bir şairdim. Şiir, kiramı ödemeden çok önce de şairdim. Ama sonunda başkalarına evet sanatımla geçiniyorum diyebildiğimde, bu beni meşru hissettirdi. Çünkü kendimi "kullanım ve değer" ile ilgili olan bu zamanların tinine göre yargılıyordum. "Ruhumu yeniden bulmamı" ya da yaratıcı pusulamı yeniden ayarlamamı isteyen derinliklerin tiniyle iletişim halinde olmak yerine.

Peki bunu nasıl yapıyorum?

Bu, başkalarının sizin ürettikleriniz hakkındaki fikirleriyle kendinizi kıyaslamak zorunda olmadığınızı fark etmekle başlar. Ve daha da önemlisi, başkalarının başarılarıyla kıyaslanmakla da ilgilenmek zorunda değilsiniz.

Şiir züppelikle doludur. Açıktır ve sürekli dönüşüm halindedir de. Bazen zannedildiği gibi, 'sayfa' dünyası züppelerle dolu ve 'sahne' dünyası açık fikirli değildir; bana göre, hangi biçimde çalışırlarsa çalışsınlar, büyük şairlerin insanlarla ilgilenen cömert ruhlar olma olasılığı daha yüksekken, vasat şairlerin, hangi biçimde olursa olsun, züppe ve tutucu olma olasılığı daha yüksektir – diğer insanların üretimlerinin eksikliklerine takıntılıdırlar. Vasat bir şair, kendini başka bir şairin üslup ya da yetenek eksikliğiyle tanımlar, kendi üslup ya da yetenek eksikliğiyle değil ki bu daha ilginç bir yazarın özelliğidir.

Yeteneği karşılaştırmalı olarak tanımlamak cazip geliyor, ancak kendinizden başka kimseyle rekabet içinde değilsiniz. Bugün dün olduğunuzdan daha iyi bir yazar (ya da sevgili, ya da arkadaş, ya da insan) olmaya çalışıyorsunuz. Başkasını daha iyi hale getirmeye çalışmanın hiçbir önemi yok. Peki bunu başardığınızı nasıl anlarsınız? Başkalarının kabul, onay veya takdir barometresine güvenmeden gelişip gelişmediğinizi, 'iyi' olup olmadığınızı nasıl anlayabilirsiniz?

Yaratıcı pusula, seni ilk etapta disiplinine çeken içgüdüdür ve onunla bağlantıda olduğun zaman, işinde ne durumda olduğun hakkında bilmen gereken her şeyi sana söyleyecektir. Zor yaratıcı kararlarda sana rehberlik edecek ve bir yandan onaylanma ihtiyacından kaynaklanan bir motivasyon ile diğer yandan gerçek bir yaratıcı dürtüyü ayırt etmene yardımcı olacak. Bazen yaratıcı pusula, incinmiş bir gurur ve kırılgan bir ego benzer hisler uyandırır. Hepsi de kendini kanıtlamanı ister. Hangisinin seni harekete geçirdiğini nasıl anlarsın? Nasıl "ruhunu yeniden bulursun"? Yanlış yaparak öğrenirsin. Yanlış yolda kilometrelerce gittikten ve yaratıcı bir çıkmaz sokağa girdikten sonra, kendini aşmanın nasıl bir his olduğu hakkında bir şeyler öğrenirsin. Bu şekilde öğrenmek son derece önemlidir. İşler ters gidecek. Hatalar yapacaksın. Sonunda tamamen doğru gelmeyen şeyler yapacaksın. Saplantılarını nasıl deşeceğini ve nereden geldiklerini gerçekten nasıl hissedeceğini bu şekilde öğrenirsin. Bu bir duyusal yeniden canlandırma sürecidir. Yeni bir duyarlılık öğreniyorsun. Ya da, belki daha uygun bir şekilde, eski bir duyarlılığı hatırlıyorsun. Akranlarının onayını almak için yazmakta yanlış bir şey yok. Şarkı söylemenin havalı olduğunu düşündüğün için şarkıcı olmak istemende de yanlış bir şey yok. Ancak yaratıcılığından ne isteyip ne istemediğine karar veremediğin için kendini eyleme zorlamada bir yanlışlık var.

Bukowski diyor ki, "Kendin için | şöhret için değil | para için değil | kesip biçmeye devam etmelisin."

Eğer bir şeye çok değer veriliyorsa ama sizin bu konuda eğitiminiz yoksa, o zaman bu sizin için uygun değildir diye bir durum söz konusu değil. Popüler ya da kanonik olmasının bir önemi yok. YouTube'da dinlediğiniz bir rapçiden etkileniyorsanız, bu gerçekten büyük bir mesele değildir. Edebi ortamlarda bunun için özür dilemeniz gerekmez. Aynı şey klasik bir şairi seviyorsanız da geçerlidir. Övgüyle bahsedilen eserlere önünde diz çökerek yaklaşmanız gerekmez. Yararlandığınız etki havuzunun bir akademinin ya da kurumun onayını alması ya da bir türün, alt türün ya da "akımın" parametrelerine bağlı olması gerekmez. Her şeyi dinleyin. Okuyabildiğiniz kadar çok okuyun. Her ne ile ilgileniyorsanız, onunla ilgilenirken mevcut ve ona bağlı kalmaya çalışın. İlginizi çekmese bile. Kendinize sorun, neden? Hangi tercihler sizi soğutuyor? Davul kaydının nesini beğenmediniz? Kitaplarda bölümden bölüme değişen anlatıcının nesini beğenmiyorsunuz? Eğer yazar olmak istiyorsanız, döneminizin yazarlarını okumalısınız. Sadece ölmüş kahramanlarınızı değil, kıskançlıklarınızı ve küçümsemelerinizi uyandıran döneminizin, yanılabilen yazarları. Müzik de öyle. Kesinlikle her şeyle aynı. Nasıl yaşanacağına ya da nasıl yaşanmayacağına dair örnekler mi istiyorsunuz? Başınızı kaldırıp bakın. Her yerdeler.

Yazarlıkta başarı yoktur. Sadece daha iyi başarısızlık dereceleri vardır. Yazmak başarısız olmaktır. Fikir kusursuz bir şeydir. Yazara soluksuz bir rüyada gelir. Yazar bu fikri zihninde, bedeninde taşır; her şey onu besler. O ana kadarki tüm yaşamlarını, bu fikri gaipten indirip işe yaramaz elleriyle sayfaya aktarma becerilerini geliştirmek için harcamıştır. Ama asla tam olarak doğru olmayacaktır. Bir yazarın bu fikirle boğuşurken onu yaralamamasının hiçbir yolu yoktur. Bittiği anlaşıldığında ve son teslim tarihi daha fazla ertelenemediğinde, bitkin yazar kendi kısıtlamaları hakkında bir ders daha öğrenmiş olur ve bir dahaki sefere üstesinden geleceğine dair kendine söz verir. Ancak bir sonraki sefer geldiğinde yeni kısıtlamalar, yeni sınırlamalar ve yeni imkansızlıklarla karşı karşıya kalır.

İşi "bitirmek", sanatçıya yeniden başlamak için gerekli alçakgönüllülüğü veren şeydir. Pek çok insanın aklında fikirler vardır. Ama o fikri bitirmenin ıstırabını yaşamak, o kadar donanımsız olduğunuzun farkına varmak, ateşli inancınıza, derin yaratıcılığınıza, durmak bilmeyen pratiğinize ve doğal yeteneğinize rağmen *yine de* başarısız olduğunuzu görmek. İyi bir başlangıç yaptınız. Yaptığınız şey dışarıda bir yerde, anlam yolunda bir adım daha. Bir dahaki sefere belki daha iyisini yaparsınız. Ya da belki bir daha asla yapmazsınız.

Bu, bir sanatçının varoluşunun gerçekliğidir ve iyi bir sanatçının işareti olan huşu ve saygıyı sanatçıya veren şeydir. Bir amaca adanmış, kendi söyleyeceklerinin dünya için önemli olacağına ikna olmuş olsalar bile, o zaman bile, yaratmak için tüm o asil ateşle yanıp tutuşsalar bile, bu gene de bir başarısızlık sürecidir. Başarısızlıklara rağmen azmetme ve kaybetmeye devam etme becerisiyle sessiz bir gurur duyma ve umarım, Beckett'in dediği gibi daha iyi kaybetme sürecidir.

Bir sanatçı ile sanatçı olmayı hayal eden biri arasındaki fark, bitmiş eserdir. Harika fikirleri olan kişi, diğer insanların ürettiklerini kendi üretebileceklerinden daha düşük olarak değerlendirir, ancak aslında hiçbir zaman tam olarak bir şey üretmeye kendini adamamıştır; bu sanatsal uğraşın yanılgısıdır. Herkes yapabileceğinden çok emindir, bunu yapmaları gerektiğini bilmelerine rağmen yapamayacaklarından her seferinde daha da emin olan, gerçekten bir şeyler üreten insanlar dışında.

Ya da Czesław Miłosz'un çok zekice ifade ettiği gibi, "Söylemem gerekeni söylemedim. | Sis ve kaosu damıtmaya bıraktım."

Sahneye Çıkmak

Neyin gereğinden fazla olduğunu bilmediğin sürece neyin yeterli olduğunu da bilemezsin.

WILLIAM BLAKE

Sahneye çıkmak ağır bir deneyim olabilir. Ekipmanların arkasından çıkıp önümdeki sahneyi gördüğümde, tüm vücudumun aşırı bir gerginlik içinde olduğu, her kan ve oksijen akışının anlık farkındalığının beni ezdiği sağır edici bir an var. Enerjim avuçlarımın ortasında yoğunlaşıyor ve karın boşluğumdan yukarı doğru itiliyor. Uzuvlarımı sallayarak sinirleri hareket ettirmeye çalışıyorum, dudaklarımı ve boğazımı titreştirmek için uzun sesler çıkarıyorum ama o an tamamen beni tüketiyor. Mikrofonu sehpadan alıp ağzıma götürene ve konuşmaya başlayana kadar bu durum sürüyor.

İlk gençlik yıllarımda sahneye çıkmak neşeli, aydınlatıcı, güçlendiriciydi ve hâlâ daha öyle. Ancak bu işi ne kadar uzun süre yaparsam, işin ciddiyetini anlamaya o kadar yaklaşıyorum.

Devasa bir salonun karşısında dimdik durmak ve tanımadığım, birçok yönden beni tanıdıklarını düşünen ve etkinliğe katılmak için bilet parası ödemenin, çocuk bakımı ayarlamanın, işten izin almanın, şehri ya da ülkeyi aşmanın getirdiği yüksek beklentilerle bir araya gelen insanlara karşı; ya da eşleri veya ahbapları tarafından oraya sürüklenen, orada bulunmaya gerçekten zahmet edemeyecek ve zaten ne bekleyeceklerini bilmeyen insanların düşük beklentilerini göze alarak; ya da eleştirmenlerin, gazetecilerin ve blog yazarlarının olaylara katılmak yerine uzak durmak için orada olan askıya alınmış beklentileriyle yüzleşerek kendi gerçeğim hakkında bir şeyler anlatmak. Sahneye çıktığımda tüm bu enerjiyi hissediyorum. Her gece salonla bir araya gelmek zorlu bir girişim olabiliyor. Bazen dev, kaygan bir canavarla güreşmek gibi, bazen de bir kuşu göğsümden salıp ışığa doğru uçmasını izlemek gibi. Hangisi olacağını asla bilemiyorum.

Yirmili yaşlarımın başlarında haftada üç ya da dört gece konser veriyordum ve bulabildiğim herhangi bir yerde dinlenmeye alışmıştım. Küçük bir festivaldeki bir konseri hatırlıyorum, ben ve grup arkadaşlarım Archie Marsh ve Ferry Lawrenson sahnenin kenarındaki küçük bir kanepede oturmuş sıramızın gelmesini bekliyorduk ve ben derin bir uykuya dalmıştım. Bizden önce sahneye çıkan kişi bize bağırdı, grup arkadaşlarım beni sarstı, "Hadi, çıkıyoruz" dedi, gözlerimi açtım ve işte bu kadar. Biramı aldım ve sahneye çıktım, sorun yoktu. Sahne o kanepenin bir uzantısıydı. Hazırlanacak bir şey yoktu, doğaldı. Kelimenin tam anlamıyla uykumda bile yapabilirdim. Çoğu zaman doğrudan sahneden çıkıp kalabalığın arasından geçtim, şehrin öbür ucuna gitmek ve bir sonraki konsere yetişmek için metroya koştum. Gideceğim yere varır, kuyruğun en önüne geçer, sahneye çıkmak için kalabalığı yarar, birkaç içki daha içer, gösterimi yapar ve aynısını tekrarlardım. Çoğu zaman ekipmanlar bozulur, teçhizat arızalanırdı; elimizde ne varsa onunla bir gösteri doğaçlamak zorunda kalırdım. Kendimi her şeyle yüzleşebilen çetin ceviz ve arkadaş canlısı Tempest karakterini oynarken buldum ve bu karakter beni ayakta tuttu. Bu üstüme tam uyuyordu, o zamanlar sahne dışında da böyle biriydim. Ama asıl mesele şu ki, sahne arkası diye bir yer yoktu. Her günüm, beni dinleyecek kimi bulabilirsem ona kelimeleri ulaştırmakla geçiyordu ve bu gerçeklik her şeyi tüketiyordu. Performansım varlığımın tamamı haline gelmişti.

/

Sosyal medya teşhirinin yükselişi ve parmak ucundaki evren teknolojisinin ortaya çıkışından beri tüm dünyanın sahne olduğuna dair ahlaki paniğe inanacaksak eğer, buna nasıl hazırlanacağız? Sabah telefonu açıyoruz ve işte bu. Sahnedeyiz. Gün boyunca, güzel, komik, çevrimiçi benliğimize özgü bir şey görürsek, onu çeker, düzenler, yayınlarız. Düşündüğümüz, hissettiğimiz, tanık olduğumuz, hayal ettiğimiz ya da katıldığımız her şey bir sonraki kısa tweet, siyasi açıklama, şaşalı görüntü ya da iğneleyici altyazı için mühimmat haline gelir; dijital ve taranabilir hale gelene kadar tüm anlar eksiktir ve hepsi orada, çeşitli profillerimizde performans sergiler halde durur.

Fakat performansın derin bir sanat olduğunu öğrendim. Vakur, bedene olduğu kadar ruha, zamana olduğu kadar derinliklere ait bir şey ve icracıların içsel bir dikkatle hazırlanmaları gereken bir şey olduğunu. Yorgunken bile; meditasyon, esneme hareketleri, belirli sıvıların içilmesi, belirli yiyeceklerin belirli zamanlarda alınması, kurulum, ses kontrolü, grup arkadaşları ve teknik ekip arasındaki karşılıklı hazırlıklar. Herhangi bir hazırlık ya da toparlanma olmadan sürekli performans sergilememiz nasıl olur da bize zarar vermez? Olan bitenin gerçek anlamda farkında olmadan? Sahneye giriş ya da çıkış yok. Sonrasında mahremiyet yok. Oturup kendinize gelebileceğiniz sessiz bir soyunma odası yok. Geri dönecek "gerçek" bir benlik yok. Kabul edilme, onaylanma, kendine güvenme gibi tüm hızlandırılmış duyguları yaşıyorsunuz ama daha derinde yatan amaç, benliği tamamen terk etme, yaratıcı bir gücün bedenden geçtiğini hissetme, teslimiyet, hizmet, karşılıklılık gibi duyguların hiçbirini yaşamıyorsunuz.

Sahnenin kenarında uyuyakaldığım ve haftada dört gece konserden konsere koştuğum sıralarda, sınırlar hakkında bir ders öğrendim: Hiç sınırım olmadığını fark ettim. Hırs modundaydım. Başarmak istiyordum. Bulunduğum yerden başka bir yerde olmak istiyordum. Okullarda ve dükkanlarda çalışmak ve televizyonda müzik yapan diğer rapçileri izlemek istemiyordum. Kıskançlığım vardı, dikenli bir gururum vardı ve işler daha iyi gitmediği için gerçekten çaresizlikle doluydum. Sevmediğim bir sahnenin içindeydim. Müzik yapmak istiyordum ama kiramı çıkarmak için spoken-word'e hapsolmuştum ve dürüst olmak gerekirse bu mecranın tüm sahnesini utanç verici buluyordum. Bir parçası olmaktan gerçekten keyif aldığım pek çok gece ve o dünyada tanıştığım, arkadaş olarak değer verdiğim ve yazdıklarıma ilham veren pek çok şair olduğunu söylemeliyim, ancak bu duyguyu (sahneyi utanç verici bulma) eklemenin önemli olduğunu hissediyorum çünkü bu o zamanlar bir yerlere girerken yaydığım enerjiyi anlamlandırmaya yardım ediyor: kendini beğenmiştim. Alçakgönüllülükten yoksundum. Bir hışımla gelir, setimi yapar ve giderdim. Bir sonraki yerde de aynı şey–seti yap, parayı al. Git. Her zaman sarhoştum. Sahnenin önü ya da arkası diye bir şey yoktu. Her insan topluluğu potansiyel bir izleyiciydi: otobüs durağındaki veya paket servisin önündeki çocuklar, bir partiye girmek için oluşan kuyruk, herhangi bir yerdeki herhangi bir insan. Dünyaya bencilce bir bakış açısıydı bu. Her olayı kendi çıkarım için kullanıyordum. Tüm durumları, "pratiğimi nasıl geliştirebilirim, insanların şarkı sözlerimi dinlemesini nasıl sağlayabilirim"in filtresinden görüyordum. Öl ya da öldür anlatısının içinde yaşıyordum. Zamanın klişelerine av oluyordum. Arzularımı sorgulamıyor, onlar tarafından yönlendirilmeye izin veriyordum. Aziz Augustinus'un dediği gibi, "Özüme kadar iğrençtim, yine de kendimden memnundum ve insanların gözünde hoş görünmeyi arzuluyordum."

Bilinçli yaşamadığım için bir darbe aldım; ses tellerimde nodüller oluştu, bunlar nasırlaşmaya benzer, tellerin kıvrımlarının birleşmesini engeller ve çıkarabileceğiniz sesleri kısıtlar. Sesim çıkmakta zorlanıyordu, sesimin erişemediği oktavlar vardı. Sesimin sadece kısıldığını ve endişelenecek bir şey olmadığını düşünüyordum; o zamanlar yaşadığım sert hayatın bir kanıtı, çok az uyku, çok fazla içki ve uyuşturucu ve sürekli rap, genellikle kalabalık salonlarda mikrofon olmadan. Ya da bir pratik amfisi ve kalitesiz bir mikrofon kablosuyla sokaklarda çalıyordum; kalabalığın ya da ses sistemlerinin üzerinde duyulmak için savaşıyordum. Ama öyle bir noktaya geldim ki konuşamaz oldum. Doktora gittim ve bir kulak burun boğaz uzmanına yönlendirildim. Boğazımdan aşağı bir kamera soktu ve bana şişlikleri gösterdi. Birdenbire neden ses çıkaramadığımı görebildim ve bu dehşet vericiydi. Sesim sadece geçim kaynağım değil, aynı zamanda bir salonda kendimi ifade etme biçimimdi. Geçiş kartımdı. O zamanlar gördüğüm kadarıyla, olduğum her şey göz önünde bulundurulduğunda, toplum içinde var olmamı sağlayan tek şeydi sesim - dyke, şişman, erkeksi, kadın olmayan, erkek olmayan, anksiyeteli, disforik utanç ve sıkıntı dolu, acı verici derecede utangaç ve aynı zamanda sosyal durumlarda veya tanımadığım insanların yanında küstahtım. Sesim ve şarkı sözlerim bana bedenimden ve bu bedende sıkışıp kalmanın bana hissettirdiklerinden kaçış yolu sağladı. Sesim benim varoluş biletimdi. Ve ben onu kaybetmiştim. Ameliyattan sonra geri geleceğinin garantisi yoktu. Geri gelse bile sesimin bildiğim gibi çıkacağının garantisi yoktu. Ağzımı bir kelepçeyle açtılar ve anesteziyle beni bayılttılar.

Sessizliğe zorlandım. Kelimelerimi dikkatle seçmeye zorlandım, söylemek istediğim her şeyi yazmak zorunda kaldım. Bir odada oturup arkadaşlarımı ve ailemi, komik ya da ilginç şeyler söylemeye çalışmadan dinlemeyi öğrendim; insanlarla birlikte oturup sessiz kalmayı öğrendim. Birisi düşüncelerini tamamen ifade etmeyi bitirene kadar ve bunun da ötesinde, kendilerini bana daha önce hiç olmadığı kadar açana kadar dinlemeyi. Benden daha bilge olanlar, zorlanmadan bu şekilde dinleme becerisine ve özgüvenine sahiptirler ama benim alçakgönüllülüğe ihtiyacım olduğu açıktı. Ve evren bunu sağladı.

Ses telleri ameliyatından sonra, yara dokusunun iyileşmesi için tam üç hafta boyunca sesinizi tamamen dinlendirmeniz gerekiyor. Yani ne öksürük, ne hapşırık, ne de yüksek sesle nefes verme. Ağzınızdan hiçbir ses çıkmamalı. Bedenselliğe indirgenmiştim. Bedenimden kaçmaya çalıştığım, bedenimden daha fazlası olmaya çalıştığım, bedenimi mazur göstermeye çalıştığım, yanlış beden olduğu ve diğer insanların bedenlerine benzemediği için bedenimden kaçmak için konuşmaya ihtiyaç duyduğum bir ömürden sonra, tamamen bedenim oldum.

Sahnenin dışında bir yeriniz olmadığında kendinize zarar vereceğinizi öğrendim. Bir insanı bu düzeyde bir teşhire hazırlamak için olması gereken şeyler var. Neden buradayım? Ne yapmak istiyorum? Yapmaya çalıştığım şey nedir? Bu soruların düşünülmesi ve cevaplanması gerekiyor. O zamanlar yaptığım sadece buydu. Durup değerlendirme yapmadım. Sadece sesimi duyurmak istedim. Sadece yapmam gerekiyordu. Ama neden? O zamanki amacım neydi? Gerçek sanat mı? Derin yaratıcılık mı? Hayır. Öyle değildi. Her şey on altı yaşında, kaybolmuş ve rehberliğe ihtiyaç duyarken başladı – tutkumu keşfettim ve bu beni güzel deneyimlere götürdü. Ama bu, zamanla bağlarımı koparan bir şeye dönüşmüştü. Her karşılaşmada, partide, gece dışarıdayken, gece mekanlarında rap yaparken kendimi kim olarak gördüysem bunun beni tanımlamasına izin vermiştim. Ben bir rapçiyim, ben bir söz yazarıyım, ben bir şairim. Bu kelimelere sahibim ve bu da beni olduğum kişi yapıyor. Bunun ötesinde bir şey değildim. Zamanın içindeydim ama derinlerde değildim. Yaratıcıydım. Ama bağlı değildim.

/

Sahne zihnimde bir sabit. Elimde olmadan tüm deneyimlerimi sahnede olma, müzik yapma deneyimiyle karşılaştırıyorum. Depresyon, anksiyete ve panik bozukluğundan muzdaribim. Bazen gerçekten basit şeyler beni aşıyor. Moralim bozuksa, yiyecek almak için evden çıkamıyorum. Yatmadan önce dişlerimi fırçalamak için koltuktan kalkamıyorum. Yatağa gidemiyorum. Ayağa kalkamıyorum. Komşular beni görür diye dışarı çıkamıyorum. Kendimin görülmesine izin vermiyorum. Ama içeride de kalamıyorum çünkü boğuluyorum ya da bir çukura gömülüyorum. Etrafımda iyi insanlar var, sevdiğim insanlardan oluşan güçlü bir çevrem var ama konuşamadığım için kimseyi arayamıyorum.

Birkaç ay önce, durup dururken, bir günde dört panik atak geçirdim. Böyle şeyler felç edici olabiliyor.

Kendime "Hadi ama, bunu yapabileceğini biliyorsun, çünkü bunu daha önce yaptın" diyorum. Ama sorun şu ki, deneyimler birbiriyle örtüşmüyor. Sarhoş bir kalabalığın önüne çıkıp şiirler söyleyebiliyor olmam, çocukluğumdan beri tanımadığım insanlarla sosyal bir ortamda rahatlamayı ya da beynim tuhaflaştığında metroya binmeyi, hatta kendime yemek pişirecek kadar toparlanmayı daha kolay hale getirmiyor.

Bazen daha sakin anlarımda, ev işleri, köpek gezdirmek ya da kıçımın üstüne oturup televizyonda dedektif dizileri izlemek gibi gündelik işlerle meşgul olduğum zamanlarda aklıma geliyor – orada olmanın anlık görüntüsü, tüm o insanlar, büyük mekanların kavisli tavanları, sonunda sahneye inen alkış tufanı, performansın ses tonunu kendi gürültüleriyle eşitleyen insanlar, nihayet bittiğini anladığınızda vücudunuzda dolaşan kan. Otobüse dönüp bir sonraki şehre doğru yola çıkan tüm ekibin sevinci, iyi bir iş çıkardığımızı bilmek. Ancak tamamen gerçek hissettirmeyen bir anı, daha da az gerçek hissettiren başka bir anla karşılaştırmak, kendimi şimdiki zamanda tam olarak konumlandırmama yardımcı olmuyor. Bağlantıda hissettiğim geçmiş bir anı hatırlayarak ya da gelecekteki bir anı hayal ederek bağ kuramam. Olduğum anla barışık olmak zorundayım. Bazen bulunduğum yer nahoş olabiliyor ama hiçbir şey yolunda değilken umutsuzca her şey yolundaymış gibi davranmaya çalışmak kadar nahoş değil.

Turne heyecanı, oyun yazma ve sahnelendiğini görme heyecanı, gün içinde yapılması gerekenlerin yeni ışığında solup gidiyor: bir teslim tarihiyle savaşmak, zor bir şeyi editlemek, bitirmem gereken her neyse onu hemen yapmaya çalışmak. Sahne bir sabittir, ama aynı zamanda – ben oraya çıkana kadar hiç yaşanmamış da olabilir.

/

Sahneden bahsederken fiziksel sahneden bahsediyorum ama aynı zamanda her gün çıktığımız sembolik sahnelerden de bahsediyorum. Çevrimiçi varlığımızın sahnesi; ama aynı zamanda işte, okulda ya da arkadaşlarımızla buluştuğumuzda çıktığımız sahneler. Başkaları için kim olduğumuzun tanımlanmasına izin verdiğimiz ya da kim olduğumuzu göstermeyi kendimizden beklediğimiz. Erving Goffman, sosyal etkileşimin ilk dramaturjik analizini yayınlayan Amerikalı bir sosyologdu; hepimizin bize sınıf, cinsiyet, toplumsal statü tarafından atanan rolleri oynadığımızı ve oynarken, kimin için oynuyorsak onunla bir sözleşme yaptığımızı ifade etti. Bu takasa dahil olan herkes bunun gerçek olduğuna inanacaktır. Kimse oyunu bölmez, herkes rolünde rahattır:

> Birey bir rol oynadığında, izleyicilerinden önlerinde canlandırılan karakteri ciddiye almalarını dolaylı olarak talep eder. Onlardan, karşılarındaki karakterin sahipmiş gibi göründüğü niteliklere gerçekten de sahip olduğuna, yerine getirdiği görevin ima edilen sonuçları olacağına ve genel olarak meselelerin göründükleri gibi olduğuna inanmaları istenir.

Kişi ancak sahnenin dışına ya da sahne arkasına çıktığında bu benlik ya da statü performansını sonlandırabilir. Ancak pek çok kişi için performans sona erdiğinde geride kimin kaldığını bilmek zordur. Sahne arkasında tek başına kalan sanatçı, karakterinin niteliğini sorgulayacak enerjiyi bulmakta zorlanır; sosyal kabulden gelen güvence ya da uyumun mutluluğu olmadan, nasıl var olacağını nasıl bilebilirsin?

İster fiziksel ister mecazi olsun, bütün sahneler aynı riski taşıyor. Sahnedeki kimliğinizin sahne dışındaki kimliğinizdeki çatlakları kapatmasına izin veremezsiniz. Bu sürdürülebilir değil. Yıkılırsınız. Enkaz halindeyseniz, ama sahneye çıkıp oynayacak kadar kendinizi toplarsanız bile, sahne arkasındaki benliğiniz size yetişir. Bir panik ataktan sonra Oxford Caddesi'ndeydim, bir kapı aralığında çömelmiş hareket edemiyordum. Kendimi toparlamam gerekiyordu çünkü gidip radyoda bir röportaj vermem gerekiyordu. İdare ettim. Röportaj iyi geçti. Bir iş taahhüdü için kendimi toparlayabiliyorken kendi akıl sağlığım için bunu yapamamanın nasıl mümkün olduğunu anlayamıyordum.

Toplum baskısı korkunç bir şey.

Sahnedeki ben, diğer beni istemediği bir hayata sürükledi. İçki, uyuşturucu, seks, yemek ya da sakinleşmek için her ne kullanıyorsam onunla uyuştuğumda, laf etmeden peşimden geleceğini umduğum parçam sonunda bana sırt çevirdi. Panik atak, depresyon, sinir krizi ya da uykusuzluk. Esasında mesele öz saygıda bitiyor. Çoğunlukla performans sergilediğim insanlar için ayırdığım enerjiyi kendime verecek öz saygıyı nasıl kazanabilirim? Etkilemek zorunda olduğum insanlar için ayırdığım enerjiyi?

Diyeceğim şu ki: ne saklayabilirsin ne de zorlayabilirsin.

Bağlantıya en ihtiyaç duyduğum zamanlarda, elimden kaçıyor. Kendimi kaybolmuş, aptalca şeyler yaparken, duygularımın kontrolünü kaybederken ve ölü bir ritme düşerken buluyorum. Hava ve sessizlikten başka bir şey yok. Tam sonsuza kadar kaybolduğunu düşündüğümde, işte o zaman bana geri geliyor. Ansızın. Sanki hiç gitmemiş gibi. Kendimi yeniden yakalanmış, ele geçirilmiş ve tamamen kendim olmuş hissediyorum. Sanki hiçbir beklentim olmasın istiyor. Bakış açımın tamamen değişmesini istiyor. Günlerce kaybolabilirim, ellerim topraktan olduğu için kalemi tutmakta bile zorlanabilirim ve sonunda pes edip yarı kapalı göz kapaklarımla Manny Pacquiao hakkında bir belgesel izlemeye başlarım ve aniden bağlantı odanın içinde patlar ve beni kırıp geçtiğini hissederim. Bazen günler ya da haftalar süren bir aradan sonra böyle güçlü bir şekilde ortaya çıktığında beni ağlatıyor. Oturup gözyaşları içinde yazıyorum. Nedenini bilmiyorum. Hiçbir sorun yok! Sanki uzun zamandır tırmandığım bir tepeyi aşmışım ve nihayet ötesindeki vadiyi görebiliyorum.

Yaşandığını Hissetmek

Eğer algı kapıları temizlenseydi her şey insana olduğu gibi belirirdi: Sonsuz.

WILLIAM BLAKE

Bir bağlantının gökten zembille inip kucağıma düşmesini bekleyemem. Ancak ortaya çıkmaya karar verdiğinde ona sıcak bir ortam yaratmak için elimden gelen her şeyi yapabilirim. Bu, öz farkındalık için de aynıdır. Karakterime dair birdenbire derin bir aydınlanma yaşamayı bekleyemem, ya da hayatımın gidişatına dair, veya neden X tarafından zorlandığımda Y'yi yapma eğiliminde olduğuma dair aydınlanmaların soğan kızartırken birdenbire ortaya çıkmasını bekleyemem. Kendi davranışlarımın farkına varmak için büyük bir çaba sarf etmem gerekiyor ve eğer bunları dönüştürmeyi umuyorsam daha da fazla çaba sarf etmem gerekiyor. Bu bir zanaat. Kendim üzerinde yaptığım çalışma günlük etkileşimlerimde belirgin olmayabilir, ancak yavaş yavaş, eğer devam edersem, eylemlerimin değişen zihniyetimi yansıtacağını umuyorum ve bir dahaki sefere kendime söz veriyorum, işleri farklı yapacağım. Eksiklerimin üstesinden gelmek öyle hemen olan bir şey değil, sonu yok. Sürekli uygulama gerektirir. Ve yıllar sonra bile, kendimi bir ilişkinin merceğinin yansımasında bulana ve tam olarak yıllar önce bulunduğum noktada olduğumu fark edene kadar bunu çözdüğümü düşünebilirim. Aynı hataları tekrarlıyorum. Görünüşe göre bunca zamandır boşa kürek çekiyorum.

Zanaat zor iştir. Ödülü ise bağlantı. Yaratıcılıktan ya da yaratıcı bağlantıdan bahsederken, zanaatın ya da tekniğin girdisinden çıktısından bahsetmiyorum. Yaratıcı bağların çoğu bilinçaltındadır. Zanaat ise bunun tam tersi. İyi bir zanaat sağlam temeller üzerine inşa edilir, yıllarca süren uygulama ve deneyler, yaratıcı süreç boyunca size yol göstermek için her zaman güvenilirdir. Zanaat, bağların ortaya çıkmasını beklerken geliştirdiğiniz şeydir. Bütün haftalar çok sessiz ve yavaş geçer, neyiniz olduğunu bilemezsiniz ve her şey normalmiş gibi davranırsınız ve taslağı düzenlemeye veya çift mesai yapmaya devam edersiniz, ancak bilincinizin en sessiz, en derin kısımlarında bir ses duyarsınız: *Bugün gelmedi. Hissetmedim*, ve bu sizi pelte gibi yapar. Aramayan bir arkadaşı beklemek gibi. Yapmış olmak için yapmak, milim milim yontmak. Serbest yazılar, yan karakterlerin perspektifinden birinci şahıs monologlar, aynı yarım kafiyeyle altmış dört ölçü. Kasları formda tutmak. Ama tekrarlardan zevk almıyorum.

Zanaatı açıp kapatabilirim ama sahneye çıkıp aktif olarak bağlantıyı açmam asla söz konusu değil. Ya olur ya olmaz, niyetimden bağımsız. Ben de doğrudan seyircilerin içinde durup tanıklık etmek ve parçası olmak için orada olduğum şeyle illa bağ kuracağımı söylemiyorum, ama bazen oluyor. Sayısız kez bağlantı hissettim ama bunu ben yaratmadım. Neden bazen bağlandığımı ve bazen de bağlanamadığımı bilmiyorum. Tek bildiğim bunun ya salondaki herkesin dahil olduğu ya da hiç kimsenin dahil olmadığı, iş birlikçi, ortak bir duygu olduğu. Yoldan çekilebilirsem benim içimden geçip geliyor gibi görünüyor. Ama herhangi bir müdahale onu engelleyecektir. Oldurmaya çalışmak onu yolundan alıkoyuyor.

Kelimeler için de aynısı geçerli. Onların

yolundan çekilmem gerekiyor. Onları çok dramatik bir şekilde söyleyemem çünkü zaten çok zenginler; konuşma biçimimle dili daha da zenginleştirirsem, bu kelimeleri sindirilemez hale getirir. İdeal olarak, dilin seviyesi ne kadar yüksekse, ses tonu da o kadar sade olmalıdır. Aksi takdirde aşırıya kaçılmış olur. Ama aynı zamanda bunu kısıtlamamalıyım. Kasıtlı olarak sadeleştirmemeliyim, çünkü o zaman onu kontrol etmiş olurum ve bu da keşif ve bağlanmayı engeller. Peter Brook bunu şu şekilde ifade ediyor: "Müziği yapan aslında müzisyen değil, müzisyeni yapan müzik - eğer o rahat, açık ve uyumluysa, o zaman görünmez olan onu ele geçirecek, onun aracılığıyla bize ulaşacak."

Vokal enerjimi dengede tutmak istediğimi bilerek sahneye çıktığımda bile, bir performansın tüm adrenaliyle ve kalabalığa ulaşma arzusuyla dengede kalmak çok zor. Tatlı ve açık yürekli insanlar önümde dururken bile beğenmediklerini, ilgilerini çekmediğini hayal ederek, olabilecek en kötü şeyi düşünüyorum, kendimi en kötüsüne hazırlıyorum – tüm bunlarla birlikte, kendimi tüm gücümle orada olmaya zorlarken yoldan çekilmem gerektiğini mutlaken unutarak dilin tamamen önünü kesip bir rüzgar tüneline kapılmış gibi sürüklenmemeye çalışıyorum.

Zorlarsanız açılmaz. Bir şeye anlam yüklemeye çalışmak anlamı öldürür. O anda aklınıza gelmeli. Sizin aracılığınızla olur, sizin sayenizde değil. Bağlantı da aynı. Yavaşlamak için öfkeli bir çaba sarf etmekle ilgili değil. Yoldan çekilmek ve başından beri orada olan ritmi keşfetmekle ilgili.

Performansta zamanın akışı değişiyor, anlar bir kelimeden diğerine kadar küçülüyor, ama aynı zamanda bir an bile sayılmayacak kadar genişliyor. Bazı geceler bir başlıyorum ve çoktan bitmiş oluyor. Nefes bile alacak vaktim olmuyor ve bitiyor. Diğer geceler, dilin zahmetli yakınlığı her kelimeyi yoluma koyuyor ve tamamının inşa edilmesi sonsuz zaman alıyor. Sette bazı dönüm noktalarım var, "Tamam, on dakika kaldı" dediğim anlar. Bana ormandan çıktığımı söyleyen işaretler. Bu, gösterinin bitmesini dilediğim anlamına gelmiyor, sadece her gece aynı şeyin içinde olduğunuzda böyle oluyor. Şeklini tanımaya başlıyorsunuz ve bu da her gece onu kendinizden çekip çıkarmayı kolaylaştırıyor.

Çalışmalarım karanlık olabiliyor. Karanlık şekillerde çiçek açıyor ve büyük salonlarda bu karanlık şekiller sahneden tehditkar görülebiliyor. Ancak her sette karanlığı ışıkla buluşturduğum bir an oluyor ve bu da performansın, albümün ya da uzun şiirin sonunda gelen o coşkulu ivmeyi yaratıyor. En azından benim için her ikisinin de olması gerekiyor. Işığı yazmaya ve karanlığı dahil etmemeye çalıştım; kendi kendime, dünyaya pozitiflikle dolu bir albüm sunmanın, kederle dolu bir albüm sunmaktan daha faydalı bir ihtimal olması gerektiğini düşündüm. Ama henüz öyle olmadı. Denge umutlu bir hedeftir ve hayatın gerçek bir yansıması ya bu/ya şu olamaz. Bazı günler hissiz ve kendi deneyimlerimden uzak hissedeceğimi, diğer günler ise tamamen açık, hislerle dolu, neşeli ve sakin olacağımı kabul etmeliyim. Çemberin dip dalışı olmadan, yüksek kavisi tırmanmak için yeterli ivmeyi nasıl kazanabilirim?

Traps and Lessons turnesinin en güzel anlarından biri de setin kapanışı olan "People's Faces" [İnsanların Yüzleri]. Bu genellikle bulutların dağıldığı an. Bize bakan yüzlerle bakışıyoruz ve her gece gözyaşlarını silen pek çok insanı gördüğümüz oluyor. Salonda inanılmaz bir şefkat yükseliyor. Şarkı sözlerimdeki tüm ızdırabın arasında bu şok edici bağlılık hissi, bir umut kıvılcımı, elektronik sesin akustik piyanoya düşmesi, deneyimlerimin en karanlık kuyusundan çıkarılan temalar ve anlatılarla bir saatten fazla süren karmaşık ritmik güreşin ardından basit bir şefkat hissi beyanı – her şeyin tiyatrosu, tiyatronun ortadan kalkması ve sahnedeki bizlerin sahnede sadece çalan, sadece konuşan iki kişi haline gelmesi ve oradaki insanların, gerçekten orada, hep birlikte bunun içinde, bir şeyler yaşandığını hissetmesi.

/

Bu yazı, 2020 pandemi karantinası sırasında yazıldı. Müzik ve tiyatro endüstrileri, insanların teknoloji aracılığıyla canlı sanat hissini deneyimlemeleri için yeni yollar arıyordu. Müzisyenlerin ne zaman tekrar turneye çıkabilecekleri ve tekrar izin verilirse ya da verildiğinde konserlerin neye benzeyeceği hakkında çoğu gün bir arkadaşım ya da meslektaşımla en az bir konuşma yapmışımdır.

Ancak canlı görüşmede ekranın anında yok

ettiği bir dürüstlük derinliği var. Ekranlar – hem izlerken elinizde olan hem de performansı kaydeden odadaki ekran - yazar, eser ve okuyucu arasındaki kapıları kapatıyor. Elimizde kalan sadece izleyeceğimiz bir şey, parçası olacağımız bir şey değil. Ekranlar film, sinema, televizyon için işe yarıyor. Ama canlı performansa uygun değil.

Karantina sırasında, fiziksel bağlantı çok sıkı bir şekilde denetlendiğinde, önceden kanıksadığımız şeyleri arzulamaya başladık. Toplumsal bir anlaşmaya uymak ne kadar sıklıkla yüzleşmek istemediğiniz bir angaryaydı? Bir şeyden yoksun kalmaya zorlandığımızda, onun gerçekte ne olduğunu fark etmeye başlarız. Bir şeye her zaman sahip olduğumuzda, onun niteliklerini ayırt etmemize gerek yoktur. Klişeler, klişedir çünkü doğrular: Elinizden gidene kadar neye sahip olduğunuzu bilemezsiniz. Hissizken nasıl bağ kurabilirim? Kuramam. Ama olur da ortaya çıkası tutarsa, bağlantıyı karşılayan bir ortam yaratmaya çalışabilirim. Perhiz yardımcı olur. Telefonuma tam bir gün ara vermek, kendi zihnimin hızını yeniden keşfetmeme yardımcı olur, bu da duyularıma tam olarak sahip olduğumu hissetmek için yararlıdır. Ritüellerle ilişkili oruç tutmak yardımcı olur. Yemeksiz geçen bir günün ardından yemeğin tadına varmak, günlük yaşam eylemlerine gereken önemi vermeme yardımcı olur. Bana yemek yediğim için ne kadar şanslı olduğumu hatırlatıyor. Ritüel oruç her kültürde ve dinde önemlidir. Burası hariç, seküler Batı'da, başarının maliyetini ve beraberinde getirdiği sorumlulukları anlamak için gerekli olan öz değerlendirmeyi yapmadan başarının tüm ziynetlerini bekliyoruz.

Yalnızlık yardım ediyor. Ruhumuz için iyi olduğunu hep bildiğimiz her şey, yeni bir anlam kazanıyor, ruh beton ve camın içine hapsolduğunda, aşırı uyarılmaktan bitkin düştüğünde ve her karşılaşmadan bunaldığında.

Çok yol kat ettik.

Çok büyüdük ve kendimizi hak sahibi görür olduk. Bizi ayakta tutan tüm ekosistem ağırlığımız altında eziliyor. Elbette bir şeyler değişmeli. Ve evet, eskiye kıyasla daha geç ölüyoruz. Günümüz kadınları çalışıyor ve pantolon giyiyor. O kadar da kötü değil. Ama bazen beni bu yalnız sersemlikten kurtaracak radikal bir şeye ihtiyaç duyuyorum. Daha kadim ve daha insani bir şey; bizi güvende, sessiz, hoş ve olağan tutmak için inşa ettiğimiz her şeyden, hedef odaklı yaşamın tüm elverişli dikkat dağıtıcılarından, perdeyi tutan hissizlikten, uzak ve çok da uzak olmayan geçmişimizin şiddetini örtbas eden örtüden başka bir şeye. Halıyı kaldırırken ya da duvardaki fayansları kazırken bir ses sisteminin gürültüsüne ya da bir Rodin heykelinin yontulmuş duygusuna ya da Kool FM kasetlerine ihtiyacım var. Yaratıcılığa ihtiyacım var. Bazen kendimizi buna hazırlamamız gerekiyor. Bir alan açın. Bir mum yakın. Belirli pozisyonlarda oturun. Ya da belki de istediğimiz gibi giyinip gecenin bir vakti dışarı çıkıp dans etmemiz gerekiyor. Bazen kendimizi günlük koşuşturmadan daha büyük bir gücün merhametine bırakmalı ve kendimizi onun toynaklarının altına atmalıyız.

Yaratıcılığım, bu dünyaya paralel olarak var olan başka dünyalara erişmemi sağlıyor. Ancak bu araçlarla bile, bazen bu diğer dünyalar ulaşılmaz, sesleri kesik. Ve ben iki boyutta sıkışıp kalıyorum. Rutin tarafından ve rutin bir hayat yaşama arzusu tarafından düzleştirilerek. Toplumun beni tamamlayacağını söylediği şeyleri arzuluyorum. Butch'um* için bir femme,* kendimize ait bir ev, bize benzeyen çocuklarla iki kişilik bir birliktelik, bizi zorluklardan koruyacak kadar para istiyorum. Bu pembe panjurlu rüyanın popüler hayal gücünün bir ürünü olmasına ve aslında temel inançlarımla tamamen çelişmesine rağmen, hâlâ bunu arzuladığımı hissediyorum! Hâlâ bunları içimden atmaya çalışıyorum. Topluluksuz bir yaşamın doğal olmayan uyumu. Partnerim için her şey olmaya çalışırken, kucaklaşmak isterken birbirimizi boğuyoruz. Haksız kazançlarla zenginleşen şehirlerde modası geçmiş kavramlar üzerine inşa edilen hayatlar. Tövbe edilmemiş yanlışlar her yerde duvarlar arasında sekiyor.

Ama gene de.

Müzik çalıyorum ve beni tepeden tırnağa ışıldatacak kadar kararlı bir özgürlüğe erişiyorum. Performanstan yapış yapış bir ışığa bürünmüş halde çıkıyorum.

Kalabalığa baktığımda sonunda gerçeği görüyorum. İnsanlar gerçekten bir şeyler hissediyor.

Müzik.

Canlı müzik.

Şarkı sözlerinin icrası.

Direniş tiyatrosu. Aşk tiyatrosu.

Tutkulu bildiriler. Küçük, içten gözlemler.

Keskinlik. Odak. Bireyselliğin ifadesinden daha fazlasına ulaşan bir zanaata, bir pratiğe adanmışlık. Şu çıkmazın ötesine geçmek: *benlik, benliktir ve benlik, benliktir, benliğime bak, benliğimin diğer tüm benliklerden ne kadar farklı olduğunu gördün mü?* Daha fazla. Bir kalabalığın içinde dur ve müziği dinle. Bir sandalyede otur ve bir bedenin bir mekândan geçişini izle. SEVGİ'ye dayalı tüm alışverişlerin derinliklerinde yaşayan hissizleşmemiş bir şey tarafından temelden sarsıldığını hisset. Tutkulu bir beyan, "Gördüm. Duydum. Hissettim. Ve konuşmak için harekete geçmemin sebebi sizsiniz. Şarkı söylemek için. Burada bu şekilde dans etmek için. Kendimden daha fazlasını ifade etmek istiyorum. BİZimle ilgili bir şeyler ifade etmek istiyorum." Ve bir an için hissizlik üzerinizden kalkar, çünkü orada benim hayatımın şarkısını söylüyorlar! Bu benim çaresizliğim; umudum o davulların içinde! Ve ben kendi bireyselliğimin bir temsilcisinden daha fazlası olarak varım. Rekabet eden bir avatar.

Bağlantı hissizliği dengeliyor. Bağlantı, herhangi bir kabul, hesap verebilirlik veya sorumluluk eylemine doğru atılan ilk adımdır. İster geçici ister uzun süreli olsun, diğer herkese bir yakınlık sunar. Neşelidir. Coşkuludur. Korkusuzdur. İnsanlarla çevrili bir alandayım, onları görüyorum ve hissediyorum ve deneyimim öyle ki bu tiyatro salonundan, bu terli kulüpten, bu arka oda barından, bu büyük arenadan ya da ödünç aldığım bir kitabı okuduğum bu park bankından ayrıldığımda ve uyuduğum yere dönmek için şehrin öbür ucundaki trene bindiğimde, demiryolu hattıyla ilgilenen her makinistin, perondaki çöpleri süpüren ve kapıların kapanması için düdük çalan her istasyon görevlisinin farkında olacağım. Kendi insanlığımın farkında olacağım. Kendi suç ortaklığımın farkında olacağım. Karşılaştığım insanlara şefkat ve hürmet göstereceğim.

Bildiğimiz şekliyle hayat tamamen gerçek dışı, tamamen insanlık dışı. Bu hiper-rekabet sistemi altında birbirimizi kaybettik. Müzik büyük bir canlandırıcı. Sanatçılar eserlerini sizin danışıklığınız için, teslimiyetiniz için ya da ideallerinizi tüketmenize ilham vermek için yapmazlar. Daha yüksek bir amaca hizmet ederler. Daha büyük. Daha derin. İşte bu yüzden onların eserleriyle bağ kurduğunuzda kendinizi daha yüksek, daha büyük, daha derin hissedersiniz. Hatta tişörtlerini satın alıp onları dünya turnelerine gönderirken bile. O anda bile, niyetin dürüstlüğü, sevdiğiniz grubun yaratıcı çabalarının kapitalist endüstrileşmesine kaçınılmaz dahiliyetini sürdürür. Performans, derin bir bağ arayışı olmaya devam ediyor. Sisteme dahil oluyorlar ama onun hissizliğine kapılmıyorlar. Bu arayışa bağlı kaldıkları sürece canlılıklarını korurlar.

Elbette, sanat deneyimler kadar çeşitlidir ve her müzik bağ kurmak istemez. Tüm tiyatrolar sizi umursamaz. Kültür, temelde bir burjuva uğraşıdır, önyargıları pekiştiren ve cehaleti meşrulaştıran yapmacık bir varoluşun yeniden onaylanmasıdır. Ve çoğu müzik, müstehzi bir şekilde bir araya getirilmiş seri imalat ürünüdür. Tıklamalarınızdan başka bir şey istemez. Bilfiil hissizleşmenizi ister. Ama burada bahsettiğim sanat türü bu değil. O yüzden bu konuda daha fazla konuşmayalım çünkü her yerde var ve zaten gördüğü ilgiden daha fazlasına ihtiyacı yok.

Şaheserler her zaman üretiliyor. Nerede bulabiliyorsanız bulun. Eğer sizi etkiliyorsa, etkilenecek kadar açık olduğunuz için şükredin, en sevdiğiniz grubun önünde titreyebildiğiniz için şükredin. Bu bir başlangıç. Buna tutunun.

/

Bir insan tamamen başka bir dünyadaysa, bu dünyada iş göremez. Dünyadan tamamen kopmuş olarak da daha iyi iş göremez. Eğer öyleyse, boğulma hissedilir. Duyuların körelmesi. Kafa karıştırıcı bir eksiklik. Hayat devam eder ama hiçbir şeyin daha derin bir yankısı yoktur. Doğum ya da ölümün içgüdüsel şok hissi dışında, hiçbir eylem kişiyi bir amaca yönelik yaşam deneyimine kök salacak kadar derin hissettirmez. Amaç olmadan günler, günlerin aşırı parlak, boş resimlerine dönüşür. Ya da hizmet edilmesi gereken görevlerin sonsuz bir geçit alayına. Yapılanlar yapılması gerektiği için yapılır. Keyif alınanlar keyif alınması gerektiği içindir. Bunu seviyorum, çünkü buna benziyorum. Bunu yapacağım çünkü ailem her zaman bunu yaptı ve benden beklenen de bu. Tüm bunlar olurken, derinliklerin tinine danışılmaz. Onunla muhatap olunmaz. Hatta selam bile verilmez. Böylece, sapkın bir şekilde, insan, esas derin benliğini yaratan parçaları ihmal ederken dünyaya sanki daha derin bir benlik yansıtıyormuşçasına çevrimiçi olabilir. Aynı şey iyi yaşanmış bir hayatın ziynetlerini edinmek için de söylenebilir. Havalı arabalar. Statü sembolleri. Çekici bir eş. Birden fazla çekici partner. Adınızı bilen bir sürü insan. En moda kıyafetler. Kusursuzca temiz bir ev. Çocuklarınızın çarpım tablosunu ezbere bilmesini sağlamak. Annenizle her gün ilgilenmek. Toplumun temel direği olarak görülmek. Kiliseyi asla aksatmamak. Her ne sizi tatmin olmak için motive ediyorsa.

Empati hissetmek ya da derinliklere erişmek için "sanatla" uğraşmak zorunda değilsiniz. Evrensel derinliklere sanat yoluyla erişilebilir ve şahsen ben onları bu şekilde tanıdım, ancak çizmek veya yazmak sizi her zaman derin bir bağlantıya götürecek diye bir şey yok. Sanat yapmak, diğer her şey gibi, kopuk, rutin ve hissiz hissettirebilir. Peki, odak nasıl değiştirilir? Jung gece ritüellerini kelimeler ve imgelerle gerçekleştirdi. Georgie Yeats, trans ve seans kullandı. Mike Tyson, Sonoran çölüne özgü bir kurbağanın zehrinde salgılanan bir madde olan DMT içti ve egosunun ölümü olarak tanımladığı şeyle hayatının tamamen değiştiğini gördü: "Hiçbir şey olmadığımı fark ettim." Bu deneyim için "Mutluydum" diyor.

Daha iyi tınlayan bir yere erişmenin birçok yolu vardır. Bu, her şeyin titreştiğini kabul etmekle başlar. Bir opera sanatçısı belli bir notaya ulaştığında ve camı kırdığında, o nesnenin rezonans frekansını yükseltmiş olur. Tüm nesnelerin rezonansa girdikleri bir frekans vardır. Buna siz de dahilsiniz.

Yaratıcılığı harekete geçirmek için hissizliğin yenilmesi gerekmiyor. Hissizlik ve bağlantı aynı spektrumun tonlarıdır.

Hayatım boyunca mala mülke, sosyal statüye, toplumsal onaya büyük değer vermeyi öğrendim. Küçük ve kademeli şeylere değer vermeyi öğrenmek istiyorsam kendimi yeniden eğitmem gerekiyor. Küçük etkileşimler. Samimi yakınlıklar.

Peki kendimi nasıl yeniden eğitebilirim?

Genelde fark etmediğim şeylere bilhassa dikkat ederek başlayabilirim. İki ağacın köklerinin birleştiği yere. Yanından geçtiğim duvardaki tuğlalara. Ferforje parmaklıklardaki çiçek şekillerine. Eşyaların rengine. Kendi bedenimdeki hislere. Ve sonra, büyük stres veya kriz zamanlarında özellikle dikkatimi toplamayı deneyebilirim. Ya da anın içinde kalmak yerine hayallere dalıp gittiğimi hissettiğimde. Dikkatimi dağıtma dürtüsüne yenik düşmek yerine can sıkıntısıyla yüzleşerek.

Geri itme, "bizim" kendi normlarımızı toplumun geneline karşı geri iterek yaratılan karşı-kültür, değişim için bir fırsat sunuyor.

Kendine bu kadar yüklenme.

Her zaman anın içinde olamazsın.

Deneyimlerimize ne kadar çok odaklanırsak, deneyimin farkındalığı da, bütünleşme de ve bağ kurma olasılığı da o kadar artar.

Yani

Telefonunu bırak.

Kuşları dinle.

Sessiz bir yerde ateş yak.

Sevgilini öperken ayrıntılara dikkat et.

Keza komşunla onun sağlığı hakkında sohbet ederken de.

Yolun karşısına geçerken, kediyi beslerken

ya da domates alırken de.

Ebeveyninin naaşı yakılırken.

İşler sarpa sardığında odağını değiştir.

Ama eğer odağını değiştiremiyorsan. Odağını değiştirme.

Zorunluluk yok. Mecburiyet yok.

Sadece denemek. Yapmayı seçmek.

Çiseleyen yağmurda omuzlarını kamburlaştırmadan yürü.

Kürtaj sonrası kan kaybından hastaneye kaldırılırken ayrıntılara dikkat et.

Bir ciğer dolusu havayı içine çek ve yavaşça dışarı ver.

Evden kovulduğunda ve parkta uyumak zorunda kaldığında ayrıntılara dikkat et.

Çocukları evden çıkarmaya uğraşırken ve ayakkabılarını sakladıkları için okula geç kaldığınızda ve içlerinden biri mavi keçeli kaleme bulandığında.

Teyzen hastalandığında ama Covid-19 yüzünden onu hastanede ziyaret edemediğinde.

Cinsiyet uyum ameliyatı için bir kitle fonu başlattığında detaylara dikkat et.

Uyuşmaya başladığında, odağını değiştir.

Öfkeyle araba çalıştırıp bir direğe çarptığında ayrıntılara dikkat et.

Sonunda maaşına zam aldığında.

Sokağın yarısına kadar takip ettiğin bir koku sana ölmüş bir arkadaşını hatırlattığında.

Arabayla sahile gidip denize bak.

Sabahın erken saatlerinde ormanda yürü.

Dikkatini dağıtacak hiçbir şey olmadan tam bir gün geçir.

Kimse ne söylediğini ya da nasıl söylediğini umursamıyor. Herkes kendisinin ne söylediğini ya da nasıl söylediğini düşünmekle meşgul. İnternette ne söylediğiniz ya da nasıl söylediğiniz için sizi yerden yere vuruyor olsalar bile, aslında kızdıkları kendileri ve ayrıca, başkalarının görüşleri seni tanımlamaz. Seni tanımlayan ne? Kendini içinde bulduğun an.

Bırak gitsin.

Haykırılan her selam, duraklayan her araba, her siren, her çığlık atan çocuk, köpek, tilki, radyo. Dışarıdaki tüm bu sesler yaşam ve yaşayan insanlar. Arka plan sesi değil. Yakın plan. Önde ve merkezde. Tüm o binalardaki pencereleri görüyor musun? Yukarı bak. Orada hayat var. Kendini bir kenara koy. Bırak kendini.

Diğer insanlara kulak ver. Dallardaki hareketlere, aniden bastıran yağmura ya da dalgalardaki desenlere. Şu ikisinin çimenlerin üzerinde nasıl uzandığına. Birinin bankta ellerini kavuşturmuş, yukarı bakarak nasıl oturduğuna. Şu üçünün geçitte durup birbirlerinin saçlarıyla oynamalarına. Küçüğün alışveriş poşetlerinin ağırlığını nasıl dengelediğine ve annesinin güçlü bacaklarına nasıl ayak uydurmaya çalıştığına. İşte bu. Mesele bu. Güzel olan bu.

Çeviri Notları

[3] *Black Lives Matter* Tr. Siyahların Yaşamları Değerlidir. ABD'de siyahlara uygulanan polis şiddeti ve ırkçılığa karşı kurulmuş sivil toplum hareketi ve sloganı.

[3] *All Lives Matter* Tr. Bütün Yaşamlar Değerlidir. Black Lives Matter hareketine karşı oluşturulan ve sistematik ırkçılığı reddeden muhafazakar görüşlü slogan.

[3] *terf* En. Trans-exclusionary radical feminist. Tr. Trans dışlayıcı radikal feminist. Kadınların kategorik ezilişiyle ilgili bir endişeden kaynaklanıyor gibi görünen transfobik görüş.

[9] *dyke* ("Dayk" şeklinde okunur.) Lezbiyenliğin genellikle maskülen bir ton ile tarif edildiği bir sözcüktür. Özellikle Batı'da maskülen lezbiyenlere dönük bir hakaret olarak sıkça kullanılmakla birlikte, lezbiyen kişi ve topluluklar arasında maskülenliği özgürce sahiplenen güçlendirici bir kavram olarak yer etmiş durumdadır. *LGBTİ+ Hakları Alanında Çeviri Sözlüğü*, hazırlayan: Deniz Gedizlioğlu (Ankara: KaosGL Derneği, 2020)

22 *spoken-word* sesli söylenen şiir performansı

23 *HMP* En. Her/His Majesty's Prison. Tr. Majestelerinin Hapishanesi. Birleşik Krallıkta hapishanelere verilen başlık.

33 *disfori* Kişinin cinsiyet kimliği ile doğumunda kendisine atanmış cinsiyetin örtüşmemesinden kaynaklanan stresi anlatan tıbbi bir terimdir. *LGBTİ+ Hakları Alanında Çeviri Sözlüğü*, hazırlayan: Deniz Gedizlioğlu (Ankara: KaosGL Derneği, 2020)

69 *Aziz George Haçı* İngiltere bayrağında kullanılan beyaz zemin üzerinde kırmızı haç işareti. Son yıllarda İngiltere'de aşırı sağcı ve milliyetçi gruplarca benimsenen bir sembole dönüşmüştür.

69 *Bütün Polisler Piçtir* Polis karşıtı politik slogan. Çoğunlukla ACAB (All Cops Are Bastards) kısaltmasıyla bilinir.

120 *butch* Tr. "Butch" ("Buç" şeklinde okunur.) Kendisini temelde maskülenlikle özdeşleştiren veya cinsiyet kimliğini ifade ederken maskülen

işaretleri tercih eden insanları tarif eder. 1980'ler ve 90'larla birlikte sözcüğün tarihsel anlamlarının gerileyerek daha çok lezbiyenler içinde maskülen cinsiyet ifadesini anlatan güçlendirici bir terime dönüştüğü görülmektedir. *LGBTİ+ Hakları Alanında Çeviri Sözlüğü*, hazırlayan: Deniz Gedizlioğlu (Ankara: KaosGL Derneği, 2020)

120 *femme* Tr. Fem. Atanmış cinsiyetinden bağımsız, kendisini ağırlıklı olarak feminen şekilde sunan ve ifade eden kişi. *LGBTİ+ Hakları Alanında Çeviri Sözlüğü*, hazırlayan: Deniz Gedizlioğlu (Ankara: KaosGL Derneği, 2020)

Notlar

Epigraflar bu kitaptan alınmıştır: William Blake, *The Marriage of Heaven and Hell, Complete Poems* kitabının içinde (London: Penguin, 1977). Türkçesi: *Cennet ve Cehennemin Evliliği*, çev. Burhan Sönmez, (İstanbul: Ayrıntı Yayınları, 2016).

7 *Tikelin içinde* Fintan O'Toole, "Modern Ireland in 100 Artworks: 1922 – Ulysses, by James Joyce"[100 Sanat Eseriyle Modern İrlanda: 1922 – Ulysses, James Joyce], Irish Times (24 Dec. 2014), https://www.irishtimes.com/culture/modern-ireland-in-100-artworks-1922-ulysses-by-jamesjoyce-1.2044029, erişim tarihi 1 Temmuz 2020.

20 *O odada hayat* James Baldwin, *Giovanni's Room* (London: Penguin, 1956), s. 67. Türkçesi: Giovanni'nin Odası, çev. Çiğdem Öztekin, (İstanbul: YKY, 2006).

29 *ilahi başlangıç* C. G. Jung, *The Red Book: Liber Novus* (New York ve London: WW Norton and Company, 2009), s. vii. Türkçesi: *Kırmızı Kitap*, çev. Okhan Gündüz, (İstanbul: Kaknüs Yayınları, 2019).

31 *ciddi akıl hastalığı oranı* "The Homeless Mentally Ill" [Evsiz Akıl Hastalığı], Harvard Health Publishing (Mart 2014), https://www.health.harvard.edu/newsletter_article/The_homeless_mentally_ill, erişim tarihi 1 Temmuz 2020.

38 *O zaman bu hastalıklı sanrıdan bahsedin* Jung, Red Book, s. 150.

41 *yaşayan*, Red Book, s. 129.

42 *Arzusu* Jung, Red Book, s. 129.

50 *parçalanma ve yenilip yutulma* Barbara Ehrenreich, *Blood Rites: Origins and History of the Passions of War* [Kan Ayinleri: Savaş Tutkusunun Kökenleri ve Tarihi] (London: Granta, 2011), s. 78.

50 *insan evrimini yönlendiren* Ehrenreich, s. 67.

52 *duygusal anlayışı* Ella A. Cooper, John Garlick, Eric Featherstone, Valerie Voon, Tania Singer, Hugo D. Critchley, Neil A. Harrison. "You Turn Me Cold: Evidence for Temperature Contagion" [Beni Soğuttun: Sıcalık Bulaşması Kanıtı], Plos

One (31 Aralık. 2014), p. 1, https://journals.plos.org/plosone/article?id=10.1371/journal.pone.0116126.

52 *nabızları aynı oranda* "Audience members' hearts beat together at the theatre" [Tiyatroda seyircilerin kalpleri birlikte attı] [basın bülteni], UCL Psychology and Language Sciences, 17 Nov. 2017, https://www.ucl.ac.uk/pals/news/2017/nov/audience-members-hearts-beat-together-theatre, erişim tarihi 27 Mayıs 2020.

53 *kanımıza kortizol* Paul J. Zak, "Why Your Brain Loves Good Storytelling" [Beyinleriniz neden iyi hikayeleri sever], Harvard Business Review (28 Oct. 2014), https://hbr.123org/2014/10/why-your-brain-loves-good-storytelling, erişim tarihi 26 Mayıs 2020.

60 *Yalan söyle. Hile Yap. Çal,* "Lie, Cheat, Steal", in Run the Jewels 2, [digital sürüm] (New York: Mass Appeal, 2014).

62 *Aşk kelimelerde yaşanmaz Kabir: Ecstatic Poems* [Kabir: Sermest Şiirler], çeviren Robert Bly,

(Boston: Beacon Press, 2004), s. 52.

69 *Empati kurma becerilerimizi* "The Secret of Empathy: Stress from the Presence of Strangers Prevents Empathy, in both Mice and Humans" [Empatinin Sırrı: Yabancıların Varlığından Kaynaklanan Stres Hem Farelerde Hem de İnsanlarda Empatiyi Engelliyor], Science Daily, 15 Ocak 2015, https://www.sciencedaily.com/releases/2015/01/150115122005.htm, erişim tarihi 27 Mayıs 2020.

70 *Birçok insan* C. G. Jung, *The Undiscovered Self* (London: Routledge ve Kegan Paul, 1958; yeniden basım Abingdon: Routledge, 2002), s. 3–4. Türkçesi: Keşfedilmemiş Benlik, çeviren Canan Ener Sılay (İstanbul: İlhan Yayınevi, 1999).

70 *bencillik tehlikeliydi* Will Storr, *Selfie: How the West Became Self-obsessed* (London: Pan Macmillan, 2017), s. 41, 52. 124. Türkçesi: *Selfie Tutkusu: Kendimizle Neden Bu Kadar İlgiliyiz?* çeviren: Özge Onan (İstanbul: Doğan Kitap, 2020).

[72] *Mısır tanrıçası İsis Muata Ashby, Mysteries of Isis: The Ancient Egyptian Philosophy of Self-Realisation* [İsis'in Gizemleri: Kendini Gerçekleştirmenin Eski Mısır Felsefesi] (Florida: Sema Institute, 1996), s. 59–60.

[73] *Yüzde Beşçiler* Shawn Setaro, *The Five Percenters Dominated Rap's Golden Age: Can They Return to Prominence?* [Yüzde Beşlerçiler Rap'in Altın Çağına Hükmetti: Yeniden Yükselişe Geçebilirler mi?] Complex'ten alındı: https://www.complex.com/music/ 2018/11/five-percenters-dominated-rapsgolden-age-can-they-return-to-prominence, 13 Kasım 2018.

[73] *teklif anınızı* "Meet the Smartphone Case That Doubles as a Ring Box and Delivers the Ultimate Proposal Selfie" [Yüzük Kutusu Olarak Kullanılabilen ve En İyi Teklif Selfie'sini Sunan Akıllı Telefon Kılıfıyla Tanışın], The Jeweler Blog (15 Kasım 2017), https://thejewelerblog.wordpress.com/2017/11/15/meet-the-smartphonecase-that-doubles-as-a-ring-box-and-deliversthe- ultimate-proposal-selfie/, erişim tarihi 27 Mayıs 2020.

[83] *Kendin için* Charles Bukowski, "the creative act", *The Last Night of the Earth Poems* [Dünyanın Son Gecesi Şiirleri] (New York: HarperCollins, 1992), s. 204.

[86] *Söylemem gerekeni Czesław Miłosz,* "Gathering Apricots", *Provinces: Poems 1987–1991* [Taşralar: Şiirler 1987–1991] kitabının içinde, çeviren Czesław Miłosz ve Robert Haas (New York: Carcanet, 1991), s. 557.

[97] *Özüme kadar iğrençtim* Aziz Augustinius, *Confessions*, çeviren R. S. Pine-Coffin (London: Penguin, 1961), s. 12. Türkçesi: *İtiraflar*, çeviren: Çiğdem Dürüşken (İstanbul: Kabalcı Yayınevi, 2010).

[104] *Birey bir rol oynadığında* Erving Goffman, *The Presentation of Self in Everyday Life* (New York ve London: Penguin, 1956; yeniden basım 1975), s. 28. Türkçesi: *Günlük Yaşamda Benliğin Sunumu*, çeviren: Barış Cezar, (İstanbul: Metis, 2009).

[114] Peter Brook, *The Empty Space*. Türkçesi: *Boş Mekân*, çeviren: Ülker İnce, (İstanbul: Hayalperest, 2010).

[126] *Georgie Yeats* Emily Ludolph, 'W. B. Yeats' Live-in "Spirit Medium"' [W. B. Yeats'in Yatılı Medyumu], Jstor Daily (5 Aralık 2018), https://daily.jstor.org/wb-yeats-live-inspirit-medium/, erişim tarihi 27 Mayıs 2020.

[127] *Hiçbir şey olmadığımı fark ettim* Dan Le Batard, "The Spiritual Awakening of Mike Tyson" [Mike Tyson'ın Ruhsal Uyanışı], ESPN Boxing [video] (11 Mayıs 2019), https://www.espn.co.uk/video/clip/_/id/26701682, erişim tarihi 27 Mayıs 2020.

Teşekkür

Yazıma güvendikleri için editörüm Alexa von Hirschberg ve menajerim Rebecca Thomas'a teşekkürlerimle. İkiniz olmasaydınız ortada bir kitap olmayacaktı.

Dan Carey ve Ian Rickson'a da bana yol gösterdikleri ve beni teşvik ettikleri için teşekkürler.

En derin şükranlarım dostlarıma: Jim, Maisie, Luce, G, Mica, Munna, Stef, Lisa, kız kardeşlerim Laura, Sita, Ruth ve Claudia, erkek kardeşlerim Jack, Matty ve Joel, yeğenlerim Bess, Ziggy, Archie, Poppy ve Ernie ve güzel ebeveynlerim Nigel ve Gilly'e, her zaman beni kolladıkları, iyi olmadığımda bana baktıkları, ben kendimde değilken bile benimle oldukları için. Bütün Sevgimle.

Ve son olarak, teşekkürlerim sana, ilgili Okuyucu, devreyi tamamladığın için.